POLOWANIE

Seria **SPIRIT ANIMALS** to projekt wydawniczy, jakiego jeszcze nie było: każdą z siedmiu części tworzy inny autor o międzynarodowej sławie. Drugi tom napisała Maggie Stiefvater, autorka światowych bestsellerów dla młodzieży z popularnego gatunku fantasy.

Maggie Stiefvater (ur. 1981) zajmowała się w życiu wieloma rzeczami, ale od jakiegoś czasu jest pełnoetatową pisarką. Popularność zdobyła trylogią z Mercy Falls, której kolejne tomy: „Drżenie", „Niepokój" i „Ukojenie" utrzymywały się długie tygodnie na listach bestsellerów „New York Timesa". W Polsce książki z tej serii ukazały się nakładem Wydawnictwa WILGA. Maggie Stiefvater jest też autorką magicznej sagi „Król Kruków", której pierwszy tom opublikował Uroboros.

SPIRIT ANIMALS™

TOM 2
POLOWANIE

Maggie Stiefvater

przekład: Michał Kubiak

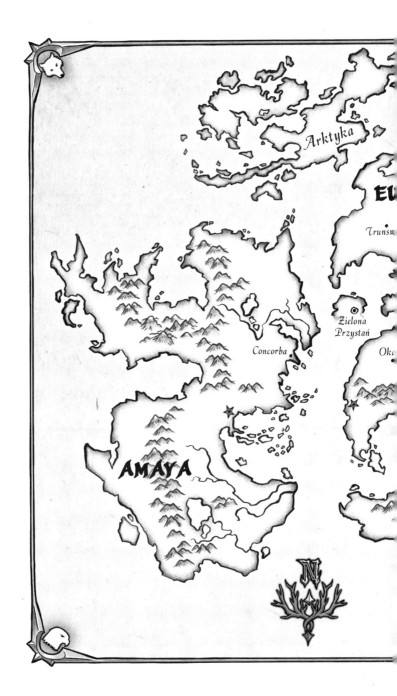

ERDAS

ZHONG

Jano
Rion

Xin Kao Dai

Shar
Liwao

OCEAN

NILO

Archipelag δ
Stu Wysp

Stetriol

Dla Victorii i Williama
– M.S.

1

ŻÓŁĆ

Las był mroczny i pełen zwierząt. Z gęstwiny drzew okrytych nocą dochodziły powarkiwania, trzepot skrzydeł i odgłosy owadów.

Przy świetle latarenki mężczyzna i chłopak wpatrywali się w maleńką buteleczkę. Naczynie wyglądało niepozornie, ale mikstura w nim zawarta była niezwykła. Jej moc wymuszała powstanie więzi pomiędzy człowiekiem i zwierzoduchem.

– Czy to będzie bolało? – zapytał chłopak.

Nazywał się Devin Trunswick. Nawet strach malujący się na jego twarzy nie do końca maskował arogancję i okrucieństwo, które na stałe odcisnęły się w jego rysach. Devin, syn lorda, nigdy by nie przyznał, że się boi ciemności. Choć tym razem naprawdę było się czego obawiać.

Mężczyzna miał na imię Zerif. Zsunął z głowy kaptur swojej niebieskiej, wyszywanej szaty, żeby chłopak mógł lepiej widzieć jego oczy, i uniósł buteleczkę.

– Czy to ważne? – zapytał. – To nie lada przywilej, młody paniczu. Przejdziesz do legendy.

Devinowi spodobało się to, co usłyszał. Jednak na razie nic nie wskazywało na to, żeby miał zyskać sławę. A już na pewno nie zapowiadały tego ostatnie wydarzenia. Pochodził z rodu pełnego Naznaczonych, czyli ludzi związanych ze zwierzoduchami. Kiedy jednak nadeszła jego kolej, poniósł klęskę i w ten sposób przerwał trwający od pokoleń łańcuch Naznaczonych. Podczas uroczystej ceremonii, kiedy to po osiągnięciu stosownego wieku wraz z innymi dziećmi przyjmował Nektar Ninani z rąk przedstawicielki Zielonych Płaszczy, jego nadzieje na przywołanie zwierzoducha okazały się daremne.

Jak gdyby tego było jeszcze mało, zaraz potem jego własny służący, syn pastucha, przyzwał wilka. Wilka! I to nie byle jakiego, tylko samego Briggana – jedną z Wielkich Bestii.

Devin nadal czuł smak upokorzenia. Jednak wkrótce miało się to zmienić. Niedługo miał nawiązać więź ze zwierzęciem jeszcze potężniejszym niż Briggan. Właśnie do tej chwili przygotowywał się całe życie. Płynęła w nim krew Trunswicków, więc przeznaczenie nie mogło go ominąć, dosięgło go jedynie z małym opóźnieniem.

– Dlaczego nazywają to Żółcią? – zapytał, nie odrywając oczu od buteleczki. – Niezbyt dobrze to brzmi.

– To żart – odparł krótko Zerif.

– Nie rozumiem, co w tym zabawnego.

– Skosztowałeś Nektaru, prawda?

Devin pokiwał głową. Minę miał skwaszoną, choć dobrze pamiętał wyborny smak Nektaru.

– Zaraz spróbujesz Żółci – powiedział Zerif, marszcząc nos. – Wtedy zrozumiesz. Zaręczam ci.

Spomiędzy drzew dobiegło warczenie. Chłopak obejrzał się gwałtownie przez ramię, jednak za plecami zobaczył tylko dużego pająka o lśniącym, sporym odwłoku, opuszczającego się powoli na nici ku ziemi. Odsunął się od niego jak najdalej.

– Zwierzę, które przywołam, będzie musiało mnie słuchać, tak? – upewnił się. – Będzie robiło to, co rozkażę?

– Więzi tworzone dzięki Żółci są inne niż te, które wywołuje Nektar – odparł Zerif. – Nektar jest wprawdzie słodszy, ale Żółć jest bardziej użyteczna. Możemy w większym stopniu kontrolować cały proces. Nie musisz się więc obawiać, że zwiążesz się z tym pająkiem, od którego tak się odsuwasz.

Devin aż się najeżył. Nie chciał, żeby Zerif dostrzegł jego lęk.

– Nie obawiam się – powiedział wyniośle.

Jednak jego wzrok pobiegł z niepokojem w stronę nakrytej tkaniną klatki, przygotowanej specjalnie z myślą o nim. Za tą zasłoną czekało zwierzę, z którym miał się związać. Na podstawie rozmiarów klatki starał się odgadnąć, jakie stworzenie może się w niej kryć. Klatka sięgała mu do piersi; od czasu do czasu zza zasłony dobiegało drapanie. Devin miał spędzić z tym zwierzęciem resztę życia. To dzięki niemu miał odnieść triumf.

Zerif podał chłopakowi buteleczkę. Jego uśmiech był szeroki i zachęcający, całkiem jak u szakala.

– Wystarczy jeden łyk – powiedział.

Chłopiec wytarł spotniałe dłonie w fałdy eleganckiej szaty. Nadszedł czas.

Nikt już nigdy nie będzie w niego wątpił. Nikt nie zakwestionuje jego siły.

Wcale nie był największą porażką w długiej historii rodu Trunswicków. Wręcz przeciwnie – był pierwszym Trunswickiem, który przejdzie do legendy.

Czuł odrażający zapach Żółci, który się unosił z otwartego naczynka. Coś jak swąd spalonych włosów.

Devin pamiętał cudowny smak Nektaru, przywodzący na myśl jednocześnie masło i miód. Kosztowanie go było niezwykłym doświadczeniem. Przynajmniej póki się nie okazało, że coś poszło nie tak.

Uniósł buteleczkę do ust i niewiele myśląc, przełknął łyk Żółci. Musiał zwalczyć dławiący odruch wymiotny. Czuł się tak, jakby wypił płynną śmierć wymieszaną z cmentarną ziemią. Wśród ciemności i grozy, które ogarnęły go pod wpływem napoju, poczuł jednak, jak coś się w nim budzi – coś wielkiego, potężnego i mrocznego, coś, co jego ciało ledwo mogło pomieścić. Nie czuł już strachu. Czuł jedynie, że sam jest zdolny budzić strach.

Zerif zerwał wtedy zasłonę z klatki. Nie przestawał się uśmiechać.

2

ZIELONA PRZYSTAŃ

Zaraz będę gotowa – powiedziała Abeke, zakładając bransoletkę na smukłą, brązową rękę.

Mówiła do Urazy, która nieustannie przemierzała komnatę w tę i z powrotem. Lamparcica była zdecydowanie za duża albo też pomieszczenie było zdecydowanie za małe. W każdym razie kocica mogła zrobić jedynie kilka kroków w każdym kierunku. Gdy dochodziła do ściany, parskała gniewnie i ruszała w przeciwną stronę.

Abeke wiedziała, co czuje Uraza.

W ciągu zaledwie paru tygodni ich świat bardzo się skurczył. Z bezkresnych przestrzeni Nilo trafiły do ciasnego obozu szkoleniowego, a potem za potężne mury Zielonej Przystani, głównej siedziby Zielonych Płaszczy strzegących Erdas. Abeke się domyślała, że kamienny zamek wzniesiony na szczycie wodospadu jest imponujący. Ale i dla niej, i dla Urazy lasy otaczające fortecę na wyspie wyglądały znacznie bardziej pociągająco.

Zza okna dobiegł dźwięk dzwonu na odległej wieży. Trzy uderzenia – pora na trening.

Uraza przechadzała się jeszcze bardziej niespokojnie, wydając przy tym głuche pomruki.

– Dobrze, już idziemy! – powiedziała Abeke i zacisnęła bransoletkę, żeby nie zsunęła jej się z przegubu.

Choć włókna bransoletki przypominały wyglądem drut, tak naprawdę była ona wykonana z wygotowanego włosia z ogona słonia. Cztery splecione pasma symbolizowały słońce, ogień, wodę oraz wiatr. Ozdoba była prezentem pożegnalnym od Soamy, zawsze idealnej siostry Abeke, i miała przynosić szczęście swojej właścicielce.

Dziewczynka nie była jednak wcale przekonana, czy rzeczywiście od czasu opuszczenia Nilo szczęście jej sprzyjało. Jej zwierzoduchem okazała się jedna z Wielkich Bestii, a to chyba oznaczało szczęście. Jednak niemal natychmiast po obrzędzie więzi napotkała ludzi, którzy pozostawali w potajemnej zmowie z Pożeraczem, wrogiem całego świata. A to zdecydowanie oznaczało pecha, czyż nie?

Kiedy Abeke odkryła, kim naprawdę są jej towarzysze, i uświadomiła sobie swój błąd, organizacja Zielonych Płaszczy zgodziła się ją przyjąć w swoje szeregi. Abeke wiedziała, że powinna uważać to za łut szczęścia – okazano jej zaufanie, choć mogła zostać uznana za szpiega Zdobywców. Jednak w tej chwili wcale nie czuła, że szczęście jest po jej stronie. Shane, jedyny przyjaciel, jakiego poznała od początku całej tej historii, niestety okazał się zwolennikiem Pożeracza. Wyszło więc na to, że zamieniła swojego najbliższego towarzysza na trójkę dzieciaków, z których żaden jej nie ufał.

Akurat teraz Abeke uznałaby za przejaw szczęścia to, że nie zgubiłaby się w ogromnej fortecy Zielonych Płaszczy w drodze na trening.

Otworzyła drzwi swojej komnaty i zarzuciła na ramiona zielony płaszcz, symbol przysięgi zobowiązującej ją do obrony Erdas. Korytarz był pogrążony w półmroku, rozbrzmiewały w nim różne hałasy. Gdzieś poza zasięgiem jej wzroku wrzaskliwie śmiała się małpa, a w tle było słychać niski, męski głos. Abeke wychwyciła ponadto porykiwania osła i niesiony echem odgłos, który mógł być stukotem kopyt lub obcasów.

Kiedy pod sklepieniem korytarza nagle przeleciał ptak o piórach w kolorze banana, musiała schylić głowę.

Uraza od razu dostrzegła skrzydlate zwierzę i ciesząc się z okazji do polowania, skoczyła ku niemu z groźnym warczeniem. Żółty ptak zaskrzeczał ze strachu. Zanim lamparcica zdążyła chwycić go przednimi łapami, Abeke złapała ją za ogon i ściągnęła na ziemię.

Uraza warknęła ostro i obróciła się w miejscu. Instynktownie obnażyła potężne kły.

Serce Abeke zamarło.

Gdy lamparcica się zorientowała, że to Abeke trzyma ją za ogon, schowała zęby i obrzuciła dziewczynę głęboko urażonym spojrzeniem.

Ptak zdążył odfrunąć.

– Przepraszam – usprawiedliwiła się Abeke – ale to był przecież czyjś zwierzoduch!

Można by przypuszczać, że jedna z Wielkich Bestii powinna doskonale rozumieć, że nie wolno zjadać innych zwierzoduchów. Jednak zwierzęca część natury Urazy czasami brała górę nad jej inteligencją.

– Może lepiej się schowaj? – zasugerowała Abeke i wyciągnęła rękę.

Wszystkie zwierzoduchy potrafiły przechodzić w stan uśpienia. Gdyby Uraza przystała na tę propozycję, znikłaby i aż do rozpoczęcia treningu istniałaby jako tatuaż na skórze dziewczyny. A tatuażom nie zdarzało się zjadać innych zwierzoduchów, prawda?

Lamparcica miała jednak dosyć ciasnoty i zamknięcia. Przez dłuższą chwilę wpatrywała się w wyciągnięte przedramię Abeke, po czym się odwróciła i odeszła korytarzem.

Abeke nie naciskała. Nie chciała się spóźnić. Ruszyła za lamparcicą, mijając po drodze członków Zielonych Płaszczy. Wszyscy ją pozdrawiali, zwracając się do niej po imieniu. Abeke żałowała, że nie może zrobić tego samego, ale przecież nie znała mieszkańców fortecy. Za to młodzi goście sprowadzeni do zamku – Abeke, Rollan, Meilin i Conor – byli świetnie rozpoznawalni jako czwórka jedenastolatków, którym jakimś cudem udało się przyzwać Czworo Poległych.

Dotarły do okrągłej klatki schodowej. Uraza wydała z siebie dziwny, wibrujący odgłos i skoczyła na dół, wyprzedzając Abeke. U dołu schodów obie się zawahały.

Miały przed sobą dwa identyczne korytarze o białych, tynkowanych ścianach i stropach z drewnianych bali. Jeden prowadził do sali treningowej.

– Pomożesz? – zwróciła się do lamparcicy Abeke.

Kocica wpatrywała się swoimi fioletowymi oczami to w strop, to w podłogę, wolno poruszając ogonem.

Nagle Abeke zrozumiała, że lamparcica wcale nie wygląda, jakby usiłowała wybrać właściwą drogę. Wyglądała jak kot gotujący się do...

Uraza wydała z siebie wibrujący warkot, mrożący krew w żyłach, i skoczyła. Odbiła się od ściany i pomknęła przed siebie. Była już tylko rozmazanym, muskularnym, czarno-złocistym kształtem w głębi korytarza. Przez jedną chwilę Abeke mogła myśleć tylko o tym, jak wspaniałe zwierzę ma przed sobą. Zaraz potem zrozumiała, że Uraza poluje.

Nieszczęsna ofiara lamparcicy przysiadła we wnęce korytarza. Było to nieduże, przypominające wiewiórkę zwierzątko o różowych stópkach, pręgowanym grzbiecie i ogromnych, czarnych oczach.

Abeke uznała, że to pewnie lotopałanka.

Lamparcica uznała, że zwierzątko wygląda smakowicie.

– Uraza!

Dziewczyna spróbowała znów złapać kocicę za ogon, ale chybiła.

Lotopałanka zdołała przeskoczyć na przeciwległą ścianę. W locie rozłożyła drobniutkie kończyny, połączone fałdą skórną, przypominającą żagiel pokryty sierścią.

Uraza skoczyła za nią. Lotopałanka umknęła jej z drogi. Zwierzęta puściły się korytarzem. Lotopałanka poszybowała na stojący pod ścianą stolik, który lamparcica natychmiast przewróciła. Zwierzątko znów się poderwało i zaczęło się wdrapywać po gobelinie przedstawiającym Olvana, przywódcę Zielonych Płaszczy. Uraza zerwała wtedy pazurami tkaninę ze ściany. Abeke zrozumiała, że albo poświęci swoją godność i rzuci się w karkołomną pogoń za kocicą, albo ta obróci zamek w ruinę.

Bezradna dziewczyna pobiegła za zwierzoduchami. Udało jej się złapać Urazę za tylną łapę, ale lamparcica z łatwością się uwolniła. Abeke pozostała w ręku jedynie kępka sierści.

Pościg trwał. Całą trójką wypadły z korytarza do małej jadalni, w której siedziało wielu ludzi. Abeke biegła przy ścianie, okrążając pomieszczenie, podczas gdy Uraza ścigała lotopałankę po jednym z długich stołów. Ich gonitwie towarzyszył brzęk spadających talerzy. Jakiś mężczyzna został obryzgany swoją owsianką, inny z jedzących odruchowo zamknął oczy, żeby uchronić je przed gradem drobnych owoców, lecących w jego kierunku.

Ludzie zgromadzeni w jadalni między kolejnymi kęsami śniadania musieli przełknąć również własne cierpkie oburzenie.

Abeke czuła na sobie wzrok wszystkich obecnych. Miała ochotę krzyczeć: „To jej wina, nie moja!". Wiedziała jednak, jakie odpowiedzi by usłyszała: „Kontrola nad zwierzoduchem to twój obowiązek", „Odpowiadasz

16

za niego", „Zawiodłaś nas", „Być może to jednak nie jest miejsce dla ciebie".

Nie było czasu ani na przeprosiny, ani na uprzątnięcie bałaganu. Abeke z trudem łapała oddech, goniąc za zwierzętami pędzącymi przez kolejne pomieszczenia. Przemknęły kilkoma krętymi korytarzami, jak huragan przetoczyły się przez okazałą salę pełną krzeseł, aż w końcu trafiły do holu kończącego się łukowatym wyjściem. Lotopałanka wydawała z siebie żałosne, pełne paniki piski, przypominające skrzypienie starego fotela na biegunach.

Abeke ciężko oddychała. W Nilo mogła całymi godzinami tropić zwierzynę i nie odczuwała przy tym potrzeby odpoczynku. Co się z nią stało w tym zamku?

– Uraza – wysapała z trudem, łapiąc się za bok kłujący z wysiłku – jesteśmy tutaj po to... żeby poskromić naszych wrogów. Poskrom więc na razie swój apetyt!

Jej słowa zatrzymały lamparcicę. Lotopałanka miała w sam raz dość czasu, żeby poszybować w stronę bezpiecznego schronienia na żyrandolu.

Zarówno lotopałanka, jak i Abeke odetchnęły z ulgą.

Uraza krążyła wyczekująco pod żyrandolem, ale pościg dobiegł końca.

„Tym razem – pomyślała z niepokojem Abeke – tym razem zgubiłyśmy się na dobre".

Najgorsze nie było nawet to, że zabłądziły. Najgorsze było to, że się spóźnią. Nie ze względu na surowe kary, ponieważ instruktorzy byli raczej wyrozumiali. Abeke miała jednak pewność, że jej niepunktualność jeszcze pogłębi przepaść pomiędzy nią a pozostałymi dziećmi. Przecież w czasie gdy Meilin, Conor i Rollan rozpoczynali razem szkolenie, Abeke pozostawała w szponach zwolenników Pożeracza. A teraz, przez dawne związki z wrogiem, była nie tylko obca, lecz także podejrzana. Mogła sobie tylko wyobrażać, o co ją posądzano. Meilin, Conor i Rollan myśleli pewnie, że ona szpieguje gdzieś w zamku albo potajemnie wysyła wiadomości do Zerifa, Zdobywcy, który zabrał ją z domu rodzinnego po Ceremonii Nektaru. Albo że pozwala Urazie zjadać cudze zwierzoduchy.

Abeke musiała jak najszybciej dotrzeć do sali treningowej. Może za łukowato sklepionym wejściem znajdzie się ktoś, kto wskaże jej drogę? Komnata mogła oczywiście być pusta, lecz ozdobne drzwi miały w sobie coś zapraszającego. Prowadziły zapewne do następnego pomieszczenia, jednak Abeke była przekonana, że wiodły na zewnątrz, choć nie potrafiła wyjaśnić, skąd to przeczucie.

Ostrożnie pchnęła skrzydło drzwi. Za nimi znajdował się spowity półmrokiem pokój, w którym nigdy wcześniej nie była. Zgromadzono w nim mnóstwo instrumentów muzycznych, tajemniczych dzieł sztuki oraz luster. Abeke zwróciła uwagę na stos bębnów, który dorównywał jej wysokością. Przeniosła wzrok na instrument o rozmiarach psa, przypominający fortepian, oraz na kosz pełen fletów, zarówno poprzecznych, jak i prostych. Z jednej ze ścian uśmiechała się do niej z portretu jakaś dziewczyna, drugą zdobił fresk przedstawiający mężczyznę prowadzącego przez pole dziesiątki nieznanych jej zwierząt. Komnata pachniała kurzem, drewnem i skórą, ale ku radości Abeke w jakiś niewytłumaczalny sposób dało się w niej również wyczuć powiew otwartej przestrzeni.

Pośrodku stał samotny mężczyzna, na wpół odwrócony do niej plecami.

Abeke szybko zdała sobie sprawę, że nawet gdyby zwierzoduch nieznajomego pozostawał w uśpieniu, nigdy nie zdołałaby wypatrzyć jego podobizny, ponieważ każdy centymetr skóry mężczyzny, poza twarzą, pokrywały tatuaże: labirynty, okręgi, gwiazdy, księżyce, węzły i stylizowane stworzenia. Znak jego zwierzoducha niczym by się nie wyróżniał spośród rysunków zdobiących całe ciało.

Abeke była pod wrażeniem – celowo lub też nie w bardzo przebiegły sposób nieznajomy ukrył tożsamość swojego zwierzoducha.

Choć widziała tylko część twarzy mężczyzny, oceniła, że wygląda on młodo. Jego włosy były jednak siwe, niemal białe.

Wydawało się, że mężczyzna nie zauważył jej obecności w komnacie. Wzrok miał spuszczony i szeptał coś do siebie. Abeke nie mogła rozróżnić poszczególnych słów, ale miała wrażenie, że białowłosy przekonuje kogoś lub coś. Poczuła się nagle tak, jakby zakłóciła jakiś tajemny, prawie święty rytuał. Mroczne wnętrze pełne luster tylko pogłębiało to niesamowite wrażenie.

Wycofała się. Postanowiła sama znaleźć drogę.

Uraza czekała na nią w holu, siedząc na posadzce z ogonem owiniętym wokół przednich łap.

Abeke nie musiała nawet mówić, że się gniewa. Uraza doskonale o tym wiedziała.

Dziewczyna bez słowa wyciągnęła rękę przed siebie. Lamparcica, bez szemrania, stała się tatuażem na jej skórze. Abeke poczuła lekkie ukłucie, które zaraz ustąpiło. Ruszyła w drogę powrotną. W domu, w Nilo, słynęła przecież jako łowczyni. Postanowiła, że znajdzie salę ćwiczeń. I więcej się już nie zgubi.

———◦———

Sala ćwiczeń była drugą pod względem wielkości komnatą w zamku Zielonej Przystani. Pomieszczenie było jasno oświetlone i pomimo niespotykanych rozmiarów nie przytłaczało swoim ogromem. Jego sklepienie znajdowało się niesamowicie wysoko, tak żeby mogły pod nim swobodnie latać skrzydlate zwierzoduchy. Na jednym krańcu komnaty znajdował się skład broni, gdzie w równych rzędach stały włócznie, maczugi i proce oraz wszelkie inne narzędzia służące do walki i obrony. Wzdłuż ścian ciągnęły się imponujące witrażowe okna, które przedstawiały Wielkie Bestie.

Wchodząc do środka, Abeke była boleśnie świadoma podejrzliwych spojrzeń trójki jej nowych towarzyszy. Rollan, wiecznie niechlujny sierota, który przywzwał sokolicę Essix, na widok dziewczyny i lamparcicy zmarszczył brwi. Niezwykle urodziwe oblicze Meilin, która przystanęła obok pandy Jhi, pozostało w wystudiowany sposób niewzruszone. Jedynie Conor, pasterz o jasnych włosach, który przywołał wilka Briggana, obdarzył Abeke słabym uśmiechem.

Tarik, wojownik Zielonych Płaszczy, do którego należało prowadzenie szkolenia oraz podejmowanie decyzji o przyszłości czworga dzieci, stał przed płóciennym parawanem. Skóra jego ogorzałej, szczupłej twarzy miała odcień niewiele jaśniejszy od karnacji Abeke.

– Abeke, nie słyszałaś dzwonu wzywającego na szkolenie? – spytał.

Nie było sensu zrzucać winy na Urazę. Abeke wiedziała, co Tarik jej odpowie: „Będziesz musiała nauczyć się współpracować z Urazą w warunkach znacznie trudniejszych niż te, z którymi macie obecnie do czynienia". Nie chciała również dawać pozostałym członkom drużyny kolejnych powodów do nieufności.

– Przepraszam. Zabłądziłam – powiedziała i szybko uwolniła Urazę.

– Zgubiłaś się? – Meilin przewróciła oczami, po czym spytała Tarika: – Czy możemy już zacząć? Z każdą minutą, którą bezczynnie tu marnujemy, kolejne miasto w Zhong pada pod naporem Zdobywców.

– Sporo musi być tych miast – wtrącił się Rollan. – Chcesz powiedzieć, że odkąd tu stoimy, w Zhong zdążyło upaść jedenaście miast? A w trakcie śniadania? Trwało przecież prawie dwadzieścia minut! Jak…

– To nie jest temat do żartów, Rollan – przerwał mu Tarik. – Meilin ma rację, czas jest cenny. Będzie jednak najlepiej, jeżeli będziemy trenować wszyscy razem. Dziś zmierzycie się w walce wręcz z wojownikami Zielonych Płaszczy.

Meilin uśmiechnęła się dyskretnie, pewna swoich umiejętności.

– Zamawiam maczugę – powiedział Rollan. – I kastet.

– Nie tak szybko – zaprotestował Tarik.

Kiedy to powiedział, do komnaty weszło czterech mężczyzn. Choć ich zwierzoduchy pozostawały w uśpieniu, wszyscy mieli odkryte ramiona, jakby chcieli przedstawić dzieciom swoje fizycznie nieobecne zwierzęta. Były to lama, nietoperz, lemur i puma.

– Nie zawsze będziecie mieli przy sobie broń – ciągnął Tarik. – Wręcz przeciwnie, najczęściej atak nastąpi właśnie wtedy, gdy nie będziecie na niego przygotowani: podczas snu lub posiłku. Więc na dzisiejszym treningu nie będziecie używali zwykłej broni.

Po tych słowach odsunął parawan. Znajdująca się za nim ściana była obwieszona patelniami, miotłami, talerzami, poduszkami i innymi przedmiotami codziennego użytku.

– To będzie wasz oręż.

– O, tak, dawniej codziennie biłem się na patelnie – zażartował Rollan.

– To niedorzeczne – odezwała się Meilin. – Niech ulicznik walczy czymś z tego dziwacznego arsenału. Ja lepiej sobie poradzę gołymi rękami.

Abeke i Conor wymienili spojrzenia. Oboje podeszli do ściany po improwizowaną broń. Żadne z nich nie narzekało na dostępny wybór.

– Weźcie pierwszy lepszy przedmiot – nakazał ich instruktor. – A kiedy usłyszycie gwizdnięcie, zamienicie go na inny.

Abeke sięgnęła po miotłę. Conor chwycił widelec.

– Trzymaj – powiedział Rollan, podając Meilin chusteczkę. – Żebyś sobie nie pokaleczyła tych szlachetnych rączek.

Meilin odpowiedziała mu słodkim uśmiechem, po czym zdjęła ze ściany patelnię i mu ją podała.

– To dla ciebie. Nie trzeba mieć wiele oleju w głowie, żeby używać tego kawałka blachy.

Rollan udał, że kłania jej się z wdzięcznością.

– Wszyscy na miejsca – zakomenderował Tarik.

Dzieci stanęły w szeregu po jednej stronie, członkowie Zielonych Płaszczy – po drugiej. Przeciwnikiem Abeke okazał się mężczyzna w średnim wieku, z tatuażem lemura na przedramieniu i błyskiem przyjaźni w oczach. Miecz, który trzymał w ręku, nie wyglądał już tak sympatycznie jak spojrzenie jego właściciela.

– Jestem Errol – przedstawił się wojownik, dotykając klatki piersiowej.

– A ja Abeke.

Mężczyzna uśmiechnął się ciepło i odparł:

– Wiem.

Tarik podniósł głos, żeby dało się go słyszeć ponad gwarem.

– Starsi, zwierzoduchy pozostają w uśpieniu. Młodsi, wolno wam korzystać z dowolnych środków. Celem jest rozbrojenie przeciwnika, a jeśli wam się to uda, powalenie go na ziemię.

– Na jak długo? – zapytała Meilin. – Skąd będziemy wiedzieli, kiedy wygramy?

– Tu nie ma wygranych i przegranych – odparł Tarik. – Nie mamy czasu na zabawę. Chcę, żebyście mi pokazali, że potraficie unieszkodliwić przeciwnika. Dzięki temu będę spokojniejszy, gdy powierzę wam naprawdę niebezpieczne zadanie. A teraz... Gotowi? Trzy, dwa...

Tarik uniósł dwa palce do ust i zagwizdał przenikliwie. Walka się rozpoczęła.

Abeke zrozumiała natychmiast, że miotła nie obroni jej przed mieczem Errola. Dlatego też wykorzystała umiejętności nabyte jeszcze w Nilo i cisnęła miotłą jak oszczepem. Tylko że kij odbił się od torsu mężczyzny, nie czyniąc mu najmniejszej szkody. Errol uśmiechnął się i podniósł miotłę.

– Ten jeden raz ci się upiecze – powiedział, oddając narzędzie Abeke. W tle słychać było szczęk żelaza i przekleństwa Rollana. – Pamiętaj jednak, że ten kij jest tępy. Poza tym gdybyś rzuciła nim we mnie podczas prawdziwej walki, zostałabyś bez broni przeciw mojemu mieczowi.

Abeke poczuła gorąco na twarzy.

– Rzeczywiście – przyznała.

– Jednak muszę powiedzieć, że to był dobry rzut – ocenił Errol. – Dam ci radę: używaj miotły do obrony, a swojego zwierzoducha do ataku. Jeżeli będziesz miała przy sobie prawdziwą broń, postępuj na odwrót.

– Dzięki – odparła Abeke. – Tylko mnie nie oszczędzaj, proszę – dodała, obserwując z podejrzliwością jego uprzejmy uśmiech.

– Oddałbym ci tym złą przysługę. Chcemy, żebyś była gotowa na każde niebezpieczeństwo. Więc to ty mnie nie oszczędzaj.

Abeke zerknęła na pozostałych. Meilin siedziała na ramionach swojego przeciwnika, zaciskając jedwabną chusteczkę na jego oczach. „Skoro Meilin tak dobrze sobie radzi ze skrawkiem tkaniny, to ja muszę dać sobie radę z miotłą" – pomyślała Abeke.

Tym razem, kiedy Errol zaatakował mieczem, użyła miotły jako kostura, parując uderzenia przeciwnika najlepiej jak umiała. Cięcia stawały się jednak coraz silniejsze i z kija zaczęły lecieć drzazgi.

– Przepraszam! – wykrzyknęła Abeke.

Errol nie zrozumiał.

– Za co?

– Za to! – Abeke zdusiła wyrzuty sumienia i dźgnęła go szczeciną miotły w twarz.

Wojownik kichnął, strzepnął gryzącą chmurę kurzu, włosów i zwierzęcej sierści, po czym na oślep zamłynkował mieczem.

„Mówił, żeby go nie oszczędzać" – pomyślała Abeke.

– Uraza, teraz! – zawołała.

Lamparcica skoczyła w chwili, gdy z poczciwej miotły, przerąbanej na dwoje mieczem Errola, na podłogę sali ćwiczeń posypały się wióry. Przednimi łapami uderzyła mężczyznę w tors. Wojownik stęknął i stracił równowagę. Przewrócił się plecami na ziemię, amortyzując upadek rękoma. Jego miecz zaszczękał na posadzce.

Uraza spokojnie polizała łapę.

Errol uniósł kciuk na znak, że Abeke dobrze się spisała. Dziewczyna odpowiedziała mu uśmiechem. Miło było czuć się akceptowaną.

Tarik znowu gwizdnął.

– Zmiana broni! – zawołał. – Tym razem będziecie walczyli jako drużyna. Szybko, weźcie jakiś przedmiot!

Abeke złapała ciężką, drewnianą misę, Conor – łyżkę, a Meilin i Rollan spierali się o wazon. Meilin została w końcu z porcelanowym naczyniem w ręku, a Rollanowi przypadły zasuszone kwiaty.

– Czekaj... – zaczął Rollan, ale Tarik zagwizdał przeszywająco.

– Wszyscy razem! Naprzód! – nakazał.

Dzieci wspólnie stawiły czoła wojownikom napierającym w grupie. Drewniana misa Abeke sprawdzała się nieźle jako tarcza. Kątem oka Abeke zobaczyła, jak Conor i Briggan pracują razem, skacząc to w przód, to w tył. „Sprytnie – uznała. – Conor musiał wziąć sobie do serca uwagi Tarika. Nawet gdyby atak zaskoczył go w najmniej oczekiwanym momencie, potrafiłby się bronić". Była pod wrażeniem postępów chłopaka oraz jego zwierzoducha. Wprawdzie z każdym treningiem Conor i Briggan współpracowali coraz lepiej, ale tym razem pokazali, że naprawdę zrobili ogromny krok naprzód.

Nagle czwórka napastników zmieniła taktykę – razem zaatakowali Abeke, nacierając na nią ostrzami dwóch mieczy, włócznią i toporem. Nawet z lamparcicą u boku dziewczyna nie miała szans, żeby się obronić. Uraza prześlizgnęła się pod nogami jednego z wojowników. Popchnęła go łapą ze schowanymi pazurami i mężczyzna z tatuażem lamy runął na ziemię. Abeke odpędziła machnięciem miski mężczyznę z nietoperzem, a wtedy Uraza wskoczyła mu na ramiona. Ciężar wielkiej kocicy powalił napastnika na kolana.

Sukces Abeke był jednak krótkotrwały. Pozostali dwaj wojownicy zaatakowali ponownie, kiedy Uraza była jeszcze zajęta drugim przeciwnikiem. Errol wytrącił Abeke misę uderzeniem miecza i posłał ją wysoko pod powałę, a jego towarzysz walnął dziewczynę płazem ćwiczebnego topora. Cios był na tyle mocny, że z płuc Abeke uszło powietrze i bez tchu wylądowała na posadzce.

Znów rozległ się gwizd Tarika. Tym razem był głośniejszy i trwał dłużej. Brzmiała w nim irytacja.

– Co to było?! – wykrzyknął. – To nie widowisko! Wy troje, gdzieście byli? Jak mogliście pozwolić upaść Abeke?

Conor miał na tyle przyzwoitości, żeby się zawstydzić. Rollan sprawiał wrażenie, jakby w ogóle nie przyszło mu do głowy, żeby pomóc Abeke. Ze starannie umalowanej twarzy Meilin nie zniknął wyraz wyższości. Nikt się nie tłumaczył. Nie było potrzeby.

„Nie ufają mi" – pomyślała Abeke. Świadomość braku zaufania ze strony rówieśników, który wyczuwała od wielu dni, w połączeniu z bólem dłoni i upokorzeniem spowodowanym porażką sprawiła, że poczucie odrzucenia i zawodu wezbrało w niej jak fala. Do oczu napłynęły jej łzy. Jednak nie zamierzała płakać w obecności pozostałych dzieci, a już na pewno nie przed Meilin. Była pewna, że Meilin nigdy nie płakała.

– Jestem głęboko rozczarowany – stwierdził Tarik. – Elementem strategii jest przecież umiejętność wykorzystania wszelkich dostępnych środków oraz udzielanie pomocy sojusznikom. A Abeke jest waszą sojuszniczką. Powinniście byli ją chronić.

Conor podał Abeke dłoń. Dziewczyna ujęła ją po chwili wahania i pozwoliła, żeby pomógł jej wstać.

– Przepraszam – powiedział chłopak.

W niezręcznej ciszy, która zapadła, rozbrzmiał odgłos kroków, dochodzący z przeciwnego krańca pomieszczenia. Do sali wszedł Olvan, przywódca Zielonych Płaszczy. Jak zawsze postawę miał królewską i poruszał się nieśpiesznie, jakby z rozmysłem. Tym razem nie towarzyszył mu jego zwierzoduch, jednak mężczyzna nie potrzebował łosia kroczącego majestatycznie u jego boku, żeby wyglądać imponująco.

Olvan pogładził brodę i spojrzał na pobojowisko: odłamki szkła, złamany kij od miotły, pokruszone płatki suchych kwiatów.

– Nie chcę wam przerywać, ale wydarzyło się coś ważnego – powiedział.

– Co takiego? – zapytał Tarik.

Nadal miał zmarszczone brwi i karcącym spojrzeniem mierzył czworo swoich uczniów. Po chwili skinął głową wojownikom Zielonych Płaszczy, którzy w milczeniu pożegnali go takim samym gestem i wyszli z sali. W drzwiach Errol pomachał do Abeke. Jego miły gest sprawił, że znów zachciało jej się płakać.

– Udało nam się potwierdzić, że jedna z Wielkich Bestii znajduje się w północnej części Eury – powiedział poważnie Olvan. – Chodzi o dzika Rumfussa. To niedaleko stąd. Musicie wraz z Poległymi natychmiast udać się w drogę, aby dowiedzieć się więcej. Tariku, raz jeszcze będziesz ich dowódcą.

– W końcu – westchnął Rollan. – Nareszcie możemy dać sobie spokój z zabawą sztućcami.

Zmarszczki na czole Tarika jeszcze się pogłębiły.

– Niewiele wiem o północy kontynentu – przyznał.

Jednak Olvan nie przejął się jego słowami.

– Poślę z wami Finna, który stamtąd pochodzi. Będzie waszym przewodnikiem.

– Finn? – powtórzył jak echo Tarik.

Nie powiedział nic więcej, ale to jedno słowo wystarczyło, żeby Olvan uniósł krzaczaste brwi ze zdziwienia. Tarikowi nie zdarzało się kwestionować rozkazów.

– W czym rzecz, Tariku? – zapytał obcesowo przywódca. Ton jego głosu nie zachęcał do zwierzeń.

Tarik pokręcił tylko głową.

– Przyda nam się dodatkowa para rąk – zauważyła Meilin.

– Finn był niegdyś wielkim wojownikiem, ale brał udział w zbyt wielu bitwach, więc – powiedział ostrożnie Tarik – przyda nam się najwyżej jako zwiadowca.

– Bardzo dobry zwiadowca – stwierdził z naciskiem Olvan. – Nie stanie do walki, ale będzie przy was. To nie podlega dyskusji. Oto i on.

W przeciwieństwie do Olvana, który wkroczył do sali ćwiczeń dostojnie i stanowczo, tak że odgłos jego kroków poniósł się donośnie po całym pomieszczeniu, Finn wszcdł do środka prawie bezszelestnie.

Abeke podniosła wzrok. Całkiem zapomniała o upokorzeniu, zastąpiła je ciekawość.

Finn był wytatuowanym mężczyzną, którego widziała z lustrzanej komnacie.

Życie całej ich czwórki miało się wkrótce znaleźć w jego rękach.

3

LIST

Przygotowania do wyprawy Conor rozpoczął od wizyty w zamkowej kuchni. Dopóki miał dość zapasów żywności, żeby przetrwać podróż, nie wadziły mu brak broni czy brudna odzież.

Kuchnia była chłodnym pomieszczeniem wydrążonym w skalnym fundamencie fortecy. Panował tam wieczny ścisk – Zielona Przystań potrzebowała wielu kucharzy, bo twierdzę zamieszkiwali nie tylko członkowie Zielonych Płaszczy, lecz także ich zwierzoduchy, których jadłospis bywał często niezwykły. Żeby napełnić torbę suszonym mięsem, owocami i sucharami, Conor musiał zręcznie sięgać pomiędzy rękami pracujących. W takiej ciasnocie o przypadkowe szturchnięcie lub nieumyślną sójkę w bok było nietrudno, więc co chwilę powtarzał „przepraszam", „nie chciałem" albo „czyżbym trafił cię w oko?".

– My się tym zajmiemy, kochaniutki – powiedziała kucharka, której twarz usiana była siecią drobniutkich zmarszczek, wyglądających jak jakaś misterna szydełkowa robota. – Jesteś za dobry, żeby siedzieć w kuchni!

– Ależ nie – zaprotestował gorąco Conor.

Kuchnia należała do tych nielicznych miejsc w Zielonej Przystani, gdzie czuł się w miarę komfortowo. Pochodził wszak z rodziny pasterzy i aż do ubiegłego roku dorastał na polach i pastwiskach. Jego życie nie było może lekkie, lecz za to proste, więc był dobry w tym, co robił. Znał swoje miejsce, z tego powodu w majestatycznej fortecy Zielonych Płaszczy czuł się skrępowany. Jedynie w zamkowej kuchni, w jej ścisku i wrzawie, czuł się trochę jak u siebie.

– Ależ tak! – odpowiedziała ze śmiechem kucharka. – Przywałeś Wielką Bestię! Twoim przeznaczeniem jest dokonać wielkich czynów!

Conor wpychał właśnie do plecaka suszone mięso, lecz pod wpływem słów kobiety zamarł w bezruchu, tknięty nagłym niepokojem. Przeznaczenie do wielkich czynów wcale mu nie odpowiadało. Jego poprzedni pracodawca, szlachetnie urodzony Devin Trunswick, z całą pewnością miałby na ten temat inne zdanie.

– Patrzcie, przypłynęła łódź posłańców! – zawołał starszawy, brodaty kucharz i gestem przywołał Conora do małego okna.

Forteca wznosiła się wysoko ponad poziomem morza, więc ze swojego punktu obserwacyjnego Conor mógł dojrzeć małą łódź na kamienistej plaży. Popołudniowe słońce oświetlało dwoje posłańców, którzy wysiedli na brzeg.

Dziewczyna ruszyła w stronę zamku, mężczyzna zaś puścił się biegiem ku głównej bramie fortecy.

„Skąd ten pośpiech?" – zastanawiał się Conor.

W trakcie gdy obserwował przybyszów, kucharki wykorzystały jego nieuwagę, żeby napełnić mu plecak jedzeniem. Nie zapomniały przy tym o sporej kości dla wilka Briggana.

Po kilku minutach posłaniec wbiegł za mury fortecy, a kobieta – ku zaskoczeniu chłopaka – przyszła prosto do kuchni. Miała ze sobą worek z listami. Jeden z nich był zaadresowany do Conora.

Chłopak wziął list, starając się nie zdradzać zaskoczenia. Nie znał zbyt wielu osób, które mogłyby być nadawcami. Był wprawdzie blisko związany ze swoją rodziną i małą rolniczą społecznością, ale nikt spośród tych ludzi nie potrafił zbyt dobrze pisać ani czytać. Przez cały okres służby u Trunswicków Conor dostał od najbliższych zaledwie jeden list. I to tylko dlatego, że jego rodzina oddała zarobek z całego tygodnia pracy dziewczynie od Finleyów, która uczyła się na skrybę i zgodziła się spisać tych kilka słów. Młodszy z braci Trunswicków, Dawson, przeczytał mu je na głos, robiąc co rusz przerwy, żeby ponabijać się z charakteru pisma dziewczyny.

Devin Trunswick posiadał wszelkie umiejętności konieczne do napisania listu, jednak Conor nie potrafił sobie wyobrazić, po co syn earla miałby wysłać list do swojego byłego sługi. Nadal doskonale pamiętał nieskrywaną nienawiść, która malowała się w oczach Devina, w chwili gdy Tarik zabrał Conora ze sobą po Ceremonii Nektaru.

Dlatego Conor był zaskoczony, że wiadomość wygląda tak, jakby została spisana ręką dziedzica Trunswicku. Pismo było nieco rozchwiane i nierówne, lecz kształt wielkich liter zgadzał się całkowicie z charakterem pisma Devina.

– List z domu? – spytała kucharka o pomarszczonych policzkach. Z bezradności malującej się na twarzy Conora musiała odgadnąć, że ten nie umie czytać. – Przeczytać ci? – zaproponowała.

– Tak, dziękuję.

Kobieta wytarła ręce w fartuch, wzięła list i przebiegła go wzrokiem do końca.

– To od twojej matki!

Serce Conora skoczyło w piersi, zaraz jednak wróciło na swoje miejsce. To nie mogła być prawda – jego mama nie potrafiła ani czytać, ani pisać.

Drogi Conorze,

od dawna chciałam skreślić do ciebie parę słów, ale jak sam dobrze wiesz, nie znam liter. Młodszy brat Devina Trunswicka, Dawson, uprzejmie się zgodził napisać list w moim imieniu. Powiedział, że musi ćwiczyć pismo. To bardzo miły chłopiec.

Nie mam zbyt wiele czasu przed wieczornymi obowiązkami, ale chciałam ci przekazać, że wszyscy jesteśmy z ciebie dumni. Niestety od twojego wyjazdu trochę się

*tu pogorszyło. Musiałam zająć twoje miejsce jako słu-
żąca Devina, bo nasz dług u lorda Trunswicka nadal był
znaczny. Poza tym z powodu mroźnej wiosny padło nam
wiele owiec, a wygłodniałe wilki zabiły nam dwa psy.
Brakuje jedzenia, a żeby spłacać dług Trunswickom, musimy oddawać im prawie wszystko, co zarobimy. Nie chcę
cię martwić, ale bez ciebie trudno jest nam związać koniec z końcem. Proszę, zapytaj kogoś ważnego w organizacji Zielonych Płaszczy, czy mogliby przysłać nam tej
zimy jedzenie. Pracujesz teraz z nimi, więc może zechcą
uczynić ten gest. Nie prosiłabym, gdyby sytuacja nie była
poważna.*

*Z całą moją miłością
twoja matka*

*PS Tu Dawson. Przykro mi, że twoja rodzina jest głod-
na. Mój ojciec nie chce darować wam długu. Już go o to
pytałem.*

Conor milczał. Wystarczająco ciężko było mu wyobrazić sobie matkę jako służącą Devina, a wizja głodującej
rodziny... Nie chciał o tym myśleć, ale już od dawna prze-
czuwał, że katastrofa może nadejść w każdej chwili. Za-
grażała im już wtedy, gdy ojciec go poprosił, żeby poszedł
na służbę u Devina. Choć Conor nie chciał się przeprowa-
dzać do Trunswicku i zastanawiał się, dlaczego to właśnie
on musi wyjechać, dobrze wiedział, że jeśli odmówi, jego

rodzinę czeka głód. Spojrzał na swoją wypchaną torbę i zapas jedzenia przygotowany dla niego na drogę wydał mu się nagle luksusem.

– Na pewno sobie poradzą – powiedziała pocieszająco kucharka, obejmując Conora ramieniem. – Wyrzeczenie się ciebie na rzecz Briggana to ofiara, jaką ponoszą, żeby ocalić Erdas. Sam słyszałeś: twoja matka jest z ciebie dumna!

– Jak my wszyscy! – skomentowała inna kucharka, podając chłopcu torbę z zapasami. – A teraz zmykaj. Kuchnia to nie miejsce dla towarzysza Briggana. Bez względu na to, skąd pochodzi.

„Ale skoro moim miejscem nie jest już ani pastwisko, ani nawet kuchnia – zastanawiał się Conor – a nie czuję, żebym pasował do tego zamku, to gdzie przynależę?"

4

KSIĘŻYCOWA WIEŻA

W innej części fortecy Meilin przechadzała się po sali map. Ręce miała założone za plecami; ze wszystkich sił starała się unikać spojrzenia wielkiej, ważącej sto pięćdziesiąt kilogramów pandy. Lubiła Jhi, ale patrzenie na nią przypominało Meilin o tym wszystkim, co wywoływało w niej złość.

Zatrzymała się przed mapą Erdas. Na płachcie pokaźnych rozmiarów ciemnoczerwonym tuszem dokładnie wyrysowano wszystkie kontynenty: Amayę, Nilo, Eurę oraz Zhong. U dołu mapy jaśniejszą linią ktoś zaznaczył Stetriol. Meilin dotknęła jego konturów. To stamtąd nadchodzili Zdobywcy. A wraz z nimi Pożeracz.

Przesunęła palec ku Zhong. Odległość nie była duża, nic dziwnego, że Zhong jako pierwsze padło ofiarą ataku.

„Czy mój ojciec jeszcze żyje?" – zastanowiła się Meilin. Gdy zamknęła oczy, potrafiła przywołać w pamięci obraz jego twarzy.

Potem przesunęła palec z Zhong do Eury. Odległość między tymi dwoma kontynentami była znacznie większa niż ze Stetriolu do Zhong. „Po co tu jestem? – biła się z myślami. – Dlaczego nie walczę razem z moimi rodakami? I dlaczego mój zwierzoduch jest taki bezużyteczny?" Miała nadzieję, że pozostali członkowie drużyny będą również wkrótce gotowi do drogi. Zdążyła już wybrać dla siebie broń i zgromadziła niezbędne zapasy, a gdy wszystko było gotowe, spakowała się sprawnie, tak jak nauczył ją ojciec. Nie była zaskoczona, że innym dzieciom szło to wolniej. Prawdopodobnie nigdy nie miały aż tylu rzeczy, żeby pomieszczenie ich w torbie podróżnej wymagało jakichś specjalnych umiejętności.

Myśl o wyruszeniu na misję poprawiła Meilin humor, ale nadal dręczyły ją wątpliwości. W jaki sposób poszukiwania pozostałych Wielkich Bestii mogły pomóc Zhong? I to teraz, w chwili największego zagrożenia?

Meilin odwróciła się w stronę cicho siedzącej Jhi. Czarne plamki wokół oczu nadawały jej odrobinę smutny wygląd. Panda była taka powolna, taka spokojna. Oczywiście miała pewne zdolności uzdrowicielskie, jednak zbyt słabe, żeby uratować życie osobie śmiertelnie rannej. Za to byłaby bardzo użytecznym sprzymierzeńcem, gdyby się okazało, że Pożeracza trzeba utulić na śmierć.

Meilin poczuła wzbierającą wściekłość.

Drzwi się otworzyły, więc szybko zapanowała nad wyrazem twarzy. Nie zamierzała pozwolić, żeby ktokolwiek zobaczył ją w takim stanie. A już na pewno nie Rollan.

Do pomieszczenia rzeczywiście wszedł Rollan, razem z Conorem, Abeke i Finnem. Wydawało się, że wszyscy są w świetnych humorach. Wszyscy poza Finnem, którego twarz była równie nieprzenikniona, co oblicze Meilin. W świetle lamp płonących w sali jego siwe włosy miały niemal biały kolor.

– Trochę późno na naukę geografii – rzucił kąśliwie Rollan.

Tuż za nim do pokoju wleciała Essix, kuląc skrzydła, żeby nie przypalić piór nad płomieniami lamp.

– Nudziłam się – odparła sztywno Meilin. – Spakowałam się już kilka godzin temu.

– Niech zgadnę – skomentował Rollan – uczyłaś się tego. Miałaś czterech nauczycieli, którzy wpoili ci sztukę składania ubrań.

– Wiele podróżowałam z ojcem. Sama się nauczyłam. – Meilin odwróciła się do Finna. – Wyjaśnij mi jeszcze raz, dlaczego nasza misja jest tak ważna.

– Jeżeli zdołamy odnaleźć dzika Rumfussa – odparł cicho Finn – być może uda nam się go przekonać, żeby oddał nam swój talizman. Wiem, że we czwórkę zdobyliście już amulet barana Araxa. Pożeracz poszukuje talizmanów, żeby je wykorzystać podczas wojny. Koniecznie musimy go ubiec.

– Jeżeli – podkreśliła Meilin. – Jeżeli uda nam się go znaleźć. Jeżeli go przekonamy, żeby oddał nam talizman. A jeżeli się nie uda?

Finn obrzucił ją przeciągłym spojrzeniem.

– Myślę – odpowiedział – że nie powinniśmy już na początku zakładać porażki. Nie sądzisz?

Nagle do sali wpadł Tarik, z rozwianym płaszczem i ponurą miną.

– Przepraszam za spóźnienie, ale mam bardzo złe wieści.

Żołądek podjechał Meilin do gardła. Miała wrażenie, że te słowa skierowane były przede wszystkim do niej.

„Ojciec!" – pomyślała.

I rzeczywiście, Tarik zatrzymał na niej wzrok nieco dłużej niż na pozostałych.

– Zhong uległo siłom Zdobywców – powiedział.

– Nie… – szepnęła Meilin.

– Niestety tak – ciągnął Tarik. – Stolica została zajęta. A twój ojciec, Meilin… zaginął.

Meilin skrzyżowała ręce na piersi, żeby ukryć ich drżenie. Miała ochotę się rozpłakać, ale postanowiła, że nie pozwoli sobie na to w obecności pozostałych dzieci, które tymczasem ze wszystkich sił starały się na nią nie patrzeć. Przełknęła łzy i czując, że jest bliska rozpaczy, zaczęła krzyczeć:

– Nigdy nie powinnam była tu przyjeżdżać! Nie ma żadnego powodu, żebym wyruszała na jakieś… jakieś poszukiwanie skarbów! Powinnam była walczyć u boku ojca! I jeszcze ty…! – Rzuciła Jhi spojrzenie pełne jadu, lecz zamilkła, gdy panda odpowiedziała jej łagodnym wzrokiem.

Obecność Jhi boleśnie przypominała Meilin o domu. Dziewczyna mogła myśleć tylko o kolorowych dachach budynków Jano Rion i o tym, jak płoną w ogniu pożarów. Zhong upadło! Jej ojciec zaginął!

– Meilin – odezwał się Tarik. – Wiem, że to dla ciebie druzgocące wieści, ale w tej chwili najlepsze, co możesz zrobić, to pomóc nam odnaleźć Rumfussa.

– Nie wierzę w to! – warknęła Meilin. Wydało jej się, że poczuła emocje emanujące od Jhi, ale odepchnęła je od siebie. – Nie ma żadnej gwarancji, że go odnajdziemy i że zgodzi się nam oddać talizman. A nawet jeśli się zgodzi, pozostanie ich jeszcze kilkanaście! W Zhong jestem potrzebna teraz!

– Będziesz tam tylko samotną dziewczyną – zauważył Tarik. – Tutaj jesteś częścią drużyny.

Meilin powiodła zimnym spojrzeniem po twarzach Conora, Rollana, Abeke i Finna. „Służący, sierota, zdrajczyni i wojownik, który nie nadaje się do walki. Też mi drużyna" – pomyślała.

– Nie możecie mnie do niczego zmysić – odpowiedziała stanowczo. – Wracam do Zhong.

– Nie możesz tego zrobić – zaprotestował Conor. Przez jego głos przebijał ogromny niepokój.

– No to patrz! – odparowała Meilin.

– Ale… ale my cię potrzebujemy – zająknął się Conor.

– Zhong mnie potrzebuje – odparła Meilin i odwróciła się w stronę Jhi. – Ty możesz sobie tu zostać.

Wyszła z komnaty i zatrzasnęła za sobą drzwi. Pędziła korytarzem tak szybko, że płomyki lamp aż zamigotały od podmuchu powietrza. Miała nadzieję, że nikt za nią nie pobiegnie. Chciała znaleźć swoją torbę, zdobyć konia i ruszyć w drogę. Zamierzała wrócić do Zhong głównym traktem handlowym.

Już miała wejść do swojej komnaty, kiedy czyjaś dłoń złapała ją za ramię.

– Meilin...

Obróciła się w miejscu i zobaczyła Finna. Nie miała pojęcia, jak zdołał ją dogonić, nie czyniąc przy tym najmniejszego szmeru.

Twarz Meilin pomroczniała. Za Finnem nadciągała Jhi. Była oczywiście znacznie wolniejsza, ale poruszała się prawie tak bezgłośnie jak on.

– Nie możecie trzymać mnie tu siłą – powiedziała Meilin.

Finn odsunął swoją rękę w niemal pogardliwy sposób, żeby się przekonała, że wcale nie zamierzał jej zatrzymywać. Dzięki temu Meilin poczuła się nieco lepiej – Finn nie litował się nad nią, tak jak Tarik lub Olvan. Wcale nie chciała, żeby ktoś się nad nią rozczulał.

– Ja także odszedłem kiedyś w gniewie – przyznał smutno Finn. – Odejście w gniewie oznacza powrót pełen spóźnionego żalu. Nie chcę, żeby cię to spotkało.

„Ja nie wrócę – pomyślała Meilin – więc nie będę czuła żalu". Jednak jego spokojny ton przypomniał trochę sposób, w jaki zwracał się do niej ojciec, więc nie potrafiła zlekceważyć słów zwiadowcy.

– Słucham – powiedziała.

– Źle potraktowałaś swojego zwierzoducha – ciągnął Finn. – Czy on kiedykolwiek postąpił z tobą podobnie?

Meilin zerknęła na Jhi kątem oka i poczuła lekkie ukłucie poczucia winy. Jednak za słabe, żeby zdecydowała się zostać w Zielonej Przystani.

– Nie, bo ona właściwie nic nie robi – odparła. – Nasza więź była błędem. Na pewno Jhi byłaby szczęśliwsza z kimś innym.

W rzeczywistości Meilin uważała, że panda byłaby idealnym zwierzoduchem dla takiej dziewczyny, za jaką uważali ją wszyscy mieszkańcy Zhong. Niewiele osób zdawało sobie sprawę z faktu, że pobierała lekcje walki i że interesowała się strategią. Większość widziała w niej jedynie perfekcyjnie umalowaną lalkę, która miała tylko ładnie wyglądać podczas przechadzek po ogrodzie herbacianym lub przygotowywania kokonów jedwabników. Do takiej Meilin Jhi pasowałaby wprost doskonale.

– Nie wiem, czy ty i twój zwierzoduch naprawdę tak bardzo różnicie się od siebie – powiedział Finn. – Pójdziesz ze mną? Coś ci pokażę. Jeśli cię to nie zainteresuje, możesz odejść. Nie będę próbował cię zatrzymać.

Meilin ruszyła niechętnie za zwiadowcą do holu z żelaznym żyrandolem i z ociąganiem przeszła przez łukowato sklepione wejście. Pokój, w którym się znaleźli, był zagracony zakurzonymi lustrami, instrumentami muzycznymi oraz innymi przedmiotami, które wydawały jej się bezużyteczne. Przypomniały jej o równie bezużytecznej broni, z jakiej korzystała podczas porannych ćwiczeń. Ta sala także była pełna przedmiotów, które marnie sprawdziłyby się w roli oręża. Drażnił ją też panujący wewnątrz

bałagan. „Po co komu taka graciarnia, komnata pełna bezużytecznych śmieci? – zastanawiała się. – Przecież nawet
gdyby znajdowało się tu coś ważnego, nikt nigdy nie zdołałby tego znaleźć".

– Co to za miejsce? – spytała na głos.

– Księżycowa Wieża – odparł Finn. – Członkowie Zielonych Płaszczy przychodzą tu, żeby umacniać więź ze
swoimi zwierzoduchami.

– Naszej więzi niczego nie brakuje – stwierdziła sucho
Meilin, a panda usiadła ciężko na posadzce, obok zaku-
rzonego gongu. – Jhi przeszła w stan uśpienia już pierwszego dnia. Rollan nadal ma z tym trudności.

Finn uniósł brwi.

– Na twoim miejscu nie porównywałbym się z Rollanem – rzucił. – Każdy z nas stanowi konkurencję tylko dla
samego siebie.

– Mój ojciec mówił mi to samo – przyznała zdumiona
Meilin.

– No cóż – skomentował Finn z lekkim uśmiechem –
musi być bardzo mądrym człowiekiem. A co do wieży,
to nie jest miejsce do treningów. Służy raczej rozrywce
albo medytacji. Czasem muzyka, sztuka lub gry logiczne
pozwalają umacniać więź ze zwierzoduchem i ujawniają
jego ukryte talenty.

Meilin westchnęła, sfrustrowana.

– Znam jej zdolności – odparła. – Po prostu jesteśmy
zupełnie różne.

Finn spojrzał na nią ostrzej.

– Zapominając, kim naprawdę jesteś, wyrządzasz wszystkim bardzo złą przysługę. Czy poza walką nic się dla ciebie nie liczy?

Meilin najpierw otworzyła, a następnie zamknęła usta. Poczuła się dotknięta tym pytaniem. Uznała je za niesprawiedliwe i głupie, a ona nie była przecież niemądrą gąską, tylko córką generała Tenga.

– Oczywiście, że nie. Ale mój dom został zdobyty. Nie mogę porzucić w potrzebie Zhong i mojego ojca! Nie pozostaje mi nic innego, jak stanąć do walki!

– A co potem?

Meilin opuściła ręce z rezygnacją.

– Potem zobaczymy co dalej. Jeśli w ogóle będzie jakieś potem.

– Uwierz mi, że nasze dzisiejsze decyzje rozstrzygają o tym, czy owo potem nastąpi. Pamiętaj o równowadze, Meilin. Twój ojciec z pewnością cię tego uczył. Spójrz.

Finn podwinął rękaw i szukał wzrokiem któregoś ze swoich licznych tatuaży. W końcu przycisnął palec do symbolu wytatuowanego pomiędzy splątanym, ciernistym drzewem i rzędem piktogramów. Symbol miał postać koła podzielonego na pół falistą linią. Jedna połowa była jasna, druga zaś ciemna.

Meilin znów się zdziwiła.

– To symbol z Zhong. Skąd go znasz?

– Byłem kiedyś jednym z najlepszych wojowników wśród Zielonych Płaszczy. Swego czasu zwiedziłem całą Erdas. Wiesz, co oznacza ten symbol?

Meilin skinęła głową.

– Jedna część to ciemność, druga to światło. Jedna symbolizuje bierność, druga aktywność. Noc i dzień.

– Przeciwieństwa – dodał Finn. – Obie strony są jednak częścią tej samej całości.

Meilin starała się zapanować nad wzburzeniem. Zaczynała mieć dosyć tego, że wszyscy jej powtarzają, żeby wzmocniła więź ze swoim zwierzoduchem. Zupełnie jakby wcale nie próbowała.

– W jaki sposób ten symbol miałby mi się przydać?

Finn zatoczył ręką wokół siebie i odparł:

– Tu się tego dowiesz.

Meilin nie wyglądała na przekonaną, więc mężczyzna mówił dalej:

– Sam często przychodzę do tej komnaty. Chcesz usłyszeć pewną opowieść?

Meilin nic nie odpowiedziała, tylko uniosła lekko brew, a on zaczął opowiadać:

– Ostatnią bitwę stoczyłem na pewnej wyspie w pobliżu Zhong. Moi bracia i ja urządziliśmy zasadzkę na małą grupę zwolenników Pożeracza. Było ich pięćdziesięciu, a nas jedynie pięciu, ale wraz z naszymi zwierzoduchami zdarzało się nam już stawiać czoła wrogom znacznie

46

silniejszym. Tak, w mojej rodzinie było pięciu Naznaczonych – wyjaśnił w odpowiedzi na zdziwione spojrzenie dziewczyny. – Zielone Płaszcze twierdziły, że należymy do wybrańców. Miałem dokonać tylu wielkich czynów...

Gorzki uśmiech na twarzy Finna wzbudził w Meilin lekki niepokój. Członkowie Zielonych Płaszczy to samo mówili przecież o niej.

– Byłem znany z umiejętności konstruowania przemyślnych urządzeń, dlatego moi bracia poprosili, żebym przygotował pułapkę. Obmyśliłem ją bardzo sprytnie. Składała się z głębokiego dołu otoczonego młodymi drzewkami, których pnie wygiąłem w różnych kierunkach nad dziurą. Pomiędzy giętkie pnie wplotłem krzewy wykopane z ziemi razem z korzeniami, żeby roślinność jak najdłużej pozostała zielona. Kiedy skończyłem, pułapka przypominała zwykłe, trawiaste zbocze lub niewielkie wzgórze. Konstrukcja była na tyle mocna, żeby utrzymać jedną osobę, ale pod ciężarem każdej następnej pnie by się załamały, a wówczas pozostałoby nam tylko pomachać naszym wrogom z góry. Połowa nacierających Zdobywców wpadłaby do dołu, zanim reszta by się zorientowała, co się dzieje. Jednak coś poszło zupełnie nie tak. Zdobywcy odkryli tę pułapkę, a raczej zrobiły to ich zwierzoduchy. Jakimś sposobem cała pięćdziesiątka naszych wrogów utworzyła więź ze zwierzoduchami. To niemożliwe, ale jednak tego dokonali. Stawiliśmy więc czoła nie tylko pięćdziesięciu Zdobywcom, lecz także pięćdziesięciu zwierzoduchom.

Meilin wciągnęła powietrze z niedowierzaniem. Więzi ze zwierzoduchami należały do rzadkości, więc trudno jej było sobie wyobrazić pięćdziesięciu Naznaczonych zgromadzonych w jednym miejscu. W dodatku działających poza organizacją Zielonych Płaszczy. Na twarz Finna malowała się jednak całkowita powaga.

– Wątpisz w moje słowa. Ja też nie mogłem w to uwierzyć. Jak mówiłem, to nie powinno się zdarzyć. Ale i to, czego ty sama dokonałaś jest poza zasięgiem ludzkich możliwości. Nikt nie jest w stanie przywołać Wielkiej Bestii, jednak waszej czwórce się to udało. Wygląda na to, że żyjemy w wyjątkowych czasach.

Meilin kiwnęła głową. Finn miał rację.

– Zwierzoduchy z łatwością odkryły pułapkę i nasz plan się nie powiódł. Zakamuflowana dziura w ziemi, do której nikt nie wpada, przestaje być niebezpieczna. Próbowaliśmy się bronić, ja i moi bracia. Próbowaliśmy nadaremnie. Było ich zbyt wielu. Wyobraź to sobie, Meilin: pięćdziesiąt zwierzoduchów, i to takich, jakich nikt dotąd nie widział. Nosorożce, pumy, anakondy, skorpiony... Moi bracia zostali wymordowani. To było jak... Ledwo zdołałem... Mój najmłodszy brat Alec odwrócił ich uwagę. Dzięki temu udało mi się uciec. Później czekała mnie długa i trudna rekonwalescencja. Bitwa była straszna nie tylko dla mnie. Dla mojego zwierzoducha również. Prawie straciłem Donna. Podczas walki przeszedł w stan uśpienia. Pozostaje w nim do dziś.

Meilin wpatrywała się w niego wielkimi oczami.

– Twoi bracia... Tak mi przykro. Również z powodu twojego zwierzoducha... Nie zdawałam sobie sprawy, że coś takiego może się zdarzyć.

Finn rozejrzał się po wnętrzu Księżycowej Wieży.

– Początki więzi pomiędzy mną i Donnem były bardzo trudne. Mieszkałem we wsi położonej na odludziu i nie podano mi Nektaru na czas. Byłem jedynym dzieckiem w odpowiednim wieku w okolicy, wysłannik Zielonych Płaszczy znalazł mnie zbyt późno. Tu, w Księżycowej Wieży, ja i mój zwierzoduch odzyskaliśmy spokój. Wiem, że to miejsce znów nam pomoże.

– Chciałabym zadać ci pytanie, ale może ono wydać ci się niegrzeczne – powiedziała Meilin.

Finn uśmiechnął się lekko.

– Nie obrażę się. Niewiele rzeczy na tym świecie jest w stanie jeszcze mnie zranić.

– Czy twoje włosy zawsze miały taki kolor?

Tym razem uśmiech Finna był smutny. Mężczyzna pogładził niesfornie odstające kosmyki siwych włosów.

– Nie. Zmienił się po bitwie. Kiedy się obudziłem, moje włosy były całkiem siwe. A teraz... spróbujesz się porozumieć z Jhi? Tutaj, w Księżycowej Wieży?

Meilin pokiwała powoli głową. Nie sądziła, żeby mogła coś zdziałać, ale po poruszającym wyznaniu Finna czuła, że jest mu winna tę próbę.

– Jak to zrobić? – zapytała.

– Poprzez zabawę – odparł Finn. – Nie ma jednej właściwej metody.

Jako dziecko Meilin nigdy nie spędzała wiele czasu na zabawie. Zawsze miała mnóstwo zajęć: treningi sztuk walki, naukę języków i innych ważnych umiejętności. Choć być może znalazłaby czas na zabawę, ale nie była nią zainteresowana. Zabawa nie pomogła nigdy nikomu zmienić świata.

Dziewczyna raz jeszcze rozejrzała się po pomieszczeniu. Wcześniej wydawało jej się zabałaganione i pełne bezużytecznych gratów, ale kiedy się dokładniej przyjrzała, zaczęła dostrzegać w tym nieładzie pewien porządek. Bębny zgromadzono w pobliżu obrazów mających związek z ziemią oraz przedmiotów ze skóry i drewna. Instrumenty strunowe stały obok metalowych rzeźb, luster i obrazów przedstawiających wodę. Na końcu sali zebrano instrumenty dęte, przedmioty z papieru i wszystko to, co miało jakiś związek z powietrzem.

Gdy Meilin odkryła, że przedmioty w komnacie są ułożone według pewnego klucza, łatwiej jej było uwierzyć, że to miejsce ma jakieś sensowne przeznaczenie. Uczyła się o użyteczności sztuk, ale nigdy by nie przypuszczała, że chaos może mieć jakąkolwiek wartość.

Jej wzrok zatrzymał się na erhu, tradycyjnym instrumencie smyczkowym z Zhong. Meilin odbyła wiele godzin lekcji gry na erhu, ale minęły miesiące, od kiedy ostatnio miała go w rękach. Sięgnęła po smyczek i podeszła do Jhi. Z tak bliskiej odległości wyczuwała ciepło emanujące z ciała pandy i zapach mokrego bambusa, jaki wydzielało jej szorstkie futro.

Jhi przewróciła oczami i spojrzała na Meilin.

– Przecież próbuję – powiedziała dziewczyna. – Spróbuj i ty.

Czuła się trochę głupio, mimo to zaczęła grać. Z początku przypomniała sobie niewiele ponad to, jak nauczyciel muzyki układał jej palce na strunach oraz jak uczył ją techniki prowadzenia smyczka. Lecz zaledwie po kilku taktach poczuła coś jeszcze: wszechogarniający spokój. Wiedziała, że to uczucie przekazuje jej Jhi. Była to jedna z mocy pandy. Zazwyczaj Meilin traciła wtedy cierpliwość, bo spokój jej nie interesował. Jednak tym razem obiecała Jhi, że będzie się starać.

Spokój emanujący od pandy, która zastygła nieruchomo, powoli narastał.

Wówczas zaczęło się dziać coś dziwnego.

Meilin wyobraziła sobie, że unoszą się wokół niej małe planety. Po orbitach niektórych z nich krążyły maleńkie księżyce. Mgliście, jak przez sen Meilin zdawała sobie sprawę, że planety i ich księżyce symbolizują stojące przed nią możliwości. Słysząc brzmiącą w tle słodką melodię erhu, uzmysłowiła sobie, że najbliższa z planet oznacza drogę wiodącą do Zhong. Była to na pewno najbliższa z opcji, tylko że planeta była jednocześnie najmniejsza i nie miała żadnego satelity.

Mając przed oczami różne dostępne możliwości, Meilin z łatwością dostrzegła, że jej plan powrotu do Zhong był logiczny, ale stanowił jedynie reakcję na ostatnie wieści i był drogą bez powrotu.

Moc Jhi w dalszym ciągu wpływała na Meilin. Dziewczyna dojrzała ciało niebieskie reprezentujące możliwość wyprawy w poszukiwaniu dzika Rumfussa. Planeta była niespokojna i targana burzami, ale krążyło wokół niej wiele księżyców – które symbolizowały dalsze możliwości działania – a te były otoczone przez mniejsze, ale jeszcze liczniejsze satelity. Ta droga nie wydawała się łatwa, jednak dawała Meilin perspektywy, których by nie miała, gdyby wyruszyła do ojczyzny.

Meilin wyciągnęła szyję, żeby lepiej się przyjrzeć planecie, i wtedy nagle na jednej z jej orbit dostrzegła dumną twarz swojego ojca. „Podjęłaś decyzję, kierując się mądrością, nie inteligencją. Dobrze się spisałaś" – powiedział do niej.

Meilin natychmiast przerwała grę. Układ planet zniknął, a Jhi zamrugała, jakby się zbudziła.

– Co się stało? – zapytał Finn.

Meilin całkiem zapomniała o jego obecności.

Nie potrafiła wyjaśnić tego, co się przed chwilą wydarzyło – że panda pomogła jej dokonać wyboru.

– Podjęłam decyzję – odparła Meilin. – Jadę z wami.

5

PODRÓŻ

Nieustannie padało. Deszcz lał już wtedy, gdy konno wyjeżdżali ze stajni. Padało, gdy opuszczali zamek Zielonej Przystani, i nie przestało padać, kiedy ładowali zapasy na statek mający ich zabrać do Eury. A gdy żaglowiec odbił od przystani i wyszedł na otwarte wody, szare jak burzowe niebo, deszcz nadal nie ustawał.

Padało oczywiście na wszystkich, ale na Rollana najbardziej. Chłopak nie przepadał za podróżami morskimi, dlatego zamiast ukryć się pod pokładem, stał przy relingu i gorzko żałował, że nie zrezygnował z ostatniego posiłku, który teraz wyczyniał mu w brzuchu niepokojące figle. Postanowił, że przetrzyma ten okropny deszcz, jeśli tylko dzięki temu uchroni towarzyszy przed skutkami swojej choroby morskiej.

Essix znalazła sobie miejsce na jednym z masztów. Również wyglądała na nieszczęśliwą. Schowała głowę pod skrzydło i drżała jak liść osiki.

Wokół było dziwnie cicho. Rollan słyszał nawet pojedyncze krople deszczu wpadające do oceanu. Statek miał wprawdzie żagle, ale teraz były one zwinięte i mocno przywiązane do masztów. Chłopak nie potrafił stwierdzić, co wprawia statek w ruch. Daleko przed dziobem dostrzegł dwie dziwne fale, wyłaniające się raz za razem i ginące w oceanie. Może wywoływał je kadłub statku prujący wodę? Nie, nie wydawało mu się to zbyt prawdopodobne.

– To wieloryby. – Głos Abeke całkiem go zaskoczył.

Dziewczyna stanęła obok niego przy relingu. Krople deszczu spływały jej teraz po nosie tak samo jak Rollanowi. Uraza trzymała się blisko Abeke, położyła uszy i zamiatała wokół ogonem.

– Co? Wieloryby? – nie rozumiał Rollan.

Abeke wyciągnęła rękę i odparła:

– Wieloryby kamiennogrzbietowe. Ciągną statek.

Wskazała nietypowe fale. Kiedy Rollan przyjrzał im się uważniej, dostrzegł, że to naprawdę wieloryby, a nie morskie bałwany, jak myślał wcześniej. Skóra wielkich zwierząt była w kolorze różnych odcieni szarości i czerni, zupełnie jak niespokojna woda wokół. Ich grzbiety wyglądały, jakby były nabijane kamieniami i głazami. Z tego powodu wieloryby przypominały ruchome podwodne skały; były zapewne dłuższe niż sam statek.

Rollan był pod niemałym wrażeniem, ale głośno nigdy by się do tego nie przyznał.

– Skąd wiedziałaś? – zapytał.

Wyglądało na to, że Abeke wcale nie ma ochoty odpowiadać, wydusiła jednak przez zaciśnięte wargi:

– Kiedy wyruszyłam ze Zdobywcami na poszukiwania pierwszego talizmanu, popłynęliśmy podobnym żaglowcem. Nigdy wcześniej nie widziałam czegoś takiego. W Nilo mało kto ma okazję podróżować statkiem, a już na pewno nie promem zaprzężonym w wieloryby kamiennogrzbietowe.

Przez kilka minut oboje wpatrywali się w unoszące się miarowo skaliste grzbiety morskich olbrzymów. W niesamowitej ciszy jeden z wielorybów zaśpiewał coś do drugiego. Dźwięk był głuchy, przypominał echo i wydawał się zarazem bardzo bliski i bardzo odległy.

– To niezwykłe – szepnęła Abeke.

– Raczej straszne – poprawił ją Rollan. – Ale skoro już mowa o okropieństwach, porozmawiajmy o Zdobywcach.

Nie był to nazbyt taktowny sposób poruszenia drażliwego tematu, ale przecież Rollan nie słynął z taktu.

Abeke uniosła jedną brew, ale nic nie powiedziała. Trudno było ocenić, czy coś ukrywa, czy też uraziły ją słowa kolegi. Rollan zerknął w stronę masztu, na którym usadowiła się Essix. Jej intuicja bardzo by mu się teraz przydała, ale sokolica nie wydawała się zbyt chętna do pomocy.

No wiesz, walczyłaś dla nich i tak dalej... – zaczął Rollan. – Pomyślałem, że właśnie ty powinnaś wiedzieć o nich najwięcej.

– Już mówiłam, jak do tego doszło – odparła sztywno Abeke.

– To opowiedz mi jeszcze raz. Uwielbiam szczęśliwe zakończenia.

Abeke westchnęła.

– Rollan, pamiętasz, co czułeś po przyzwaniu Essix? Była tym, czego się spodziewałeś?

Oczywiście, że Rollan spodziewał się czegoś innego. Zresztą przywykł nie oczekiwać zbyt wiele. W dodatku siedział wówczas w więzieniu, co nie wróżyło mu najlepiej. Niemniej nawet gdyby był na wolności, nie przyszłoby mu do głowy, że przyzwie Essix. Przecież nikt nigdy nie przywołał Wielkiej Bestii.

– Jasne – odparł z ironią. – Cuda cały czas mi się przydarzają.

Abeke się skrzywiła i dotknęła szorstkiej sierści na grzbiecie Urazy, jakby szukała pocieszenia.

– Nie pamiętasz, jak bardzo wszystko było niepewne? Nikt nie wie zawczasu, czy w ogóle uda mu się przywołać zwierzoducha, w dodatku podczas obrzędu więzi każdy się denerwuje. Wszyscy wokół patrzą. Czuje się paraliżującą presję.

– Ja nie brałem udziału w żadnym obrzędzie – powiedział Rollan. – A patrzył na mnie tylko jeden bezdomny i jeden szczur. Mimo to wiem, o czym mówisz.

Abeke zamilkła.

– Chcesz o tym porozmawiać? – zapytała po chwili.

– Nie, wcale. To właściwie cała opowieść: bezdomny, szczur, magiczna sokolica. I szczęśliwe zakończenie. Mówiłem ci, że je uwielbiam. Opowiadaj dalej.

– Na mój obrzęd Nektaru przybyło wiele osób. Rozpaczliwie potrzebowaliśmy wody. Wszyscy mieli nadzieję, że zostanie wyznaczony nowy Tancerz Deszczu. I wtedy przyzwałam zwierzoducha, w dodatku Wielką Bestię! A potem zaczęło padać! Mój ojciec nigdy wcześniej tak na mnie nie patrzył, ani moja siostra, ani nikt inny! Wszyscy myśleli, że zostanę nową Tancerką Deszczu, a ja nadal usiłowałam pojąć to, że udało mi się przywołać zwierzoducha. Później wśród tego całego zamieszania pojawił się Zerif i powiedział, że potrzebuje mojej pomocy, żeby ocalić świat. Może ty lepiej byś sobie poradził, Rollan, ale mnie jakoś nie przyszło do głowy, żeby go zapytać, czy mówi prawdę...

Rollan wrócił myślami do chwili przyzwania Essix. Zerif pojawił się krótko później, ale Rollan mu nie dowierzał. I szybko od niego uciekł.

Musiał przyznać, że zwykle radził sobie w ten właśnie sposób. Jego spotkanie z Zielonymi Płaszczami zakończyło się przecież tak samo: niedowierzaniem i próbą ucieczki. Tak, to nigdy nie był zły plan.

Jego rozmyślania przerwała Abeke.

– Ty go zapytałeś, prawda? Albo przynajmniej mu nie ufałeś – powiedziała ponuro.

Kiedy Rollan spojrzał na nią z zaskoczeniem, mówiła dalej:

– Poznałam po twojej minie. Pomyślałeś, że byłam głupia, skoro z nim poszłam.

– Głupiec jest lepszy od zdrajcy.

Abeke kiwnęła głową z powagą.

– Rollan, chcę, żebyś wiedział, że nie zawiodę Zielonych Płaszczy.

„Ja do nich nie należę" – pomyślał chłopak, ale nic nie odpowiedział, tylko patrzył w milczeniu, jak Abeke i zmoknięta Uraza wracają pod pokład.

Wkrótce po tym Essix sfrunęła z masztu i usiadła na relingu, zaciskając szpony na mokrym drewnie.

– Jak zwykle zjawiasz się w samą porę – rzucił z przekąsem chłopak. – Co o niej myślisz?

Essix wyciągnęła jedną nogę przed siebie i zaczęła dziobem skubać szpony.

– Serdeczne dzięki – odezwał się Rollan. – Bardzo mi pomagasz.

Deszcz nadal padał. Po przybiciu do brzegu Eury przypięli bagaże do końskich siodeł i ruszyli wśród zapadających mokrych wieczornych ciemności. To, że mieli konie, było przywilejem – mogli odbyć podróż szybciej i wygodniej. Jednak Rollan wolałby iść pieszo. Ani on, ani Essix nie dogadywali się z końmi. Przede wszystkim Rollan nie był zbyt wprawnym jeźdźcem. Życie ulicznika słabo przygotowało go do spędzania wielu godzin dziennie w siodle. W domu, w Concorbie, kiedy chciał się gdzieś dostać, korzystał z własnych nóg. Jedynie podczas poprzedniej wyprawy udało mu się nabyć trochę doświadczenia jeździeckiego, choć prawdę mówiąc, po przemierzeniu konno szlaku w Amayi nadal miał odciski i pęcherze w miejscach, w których nikt nie powinien ich nigdy mieć.

Do tego jego wierzchowiec był okropnym zwierzęciem. Okropnym z wyglądu – o szarej, nakrapianej sierści i okropnym w obejściu – ze względu na nawyk podgryzania Rollana. Kiedy chłopak choć na chwilę popuszczał wodze, zwierzę natychmiast zginało się niemal w pół, żeby spróbować ugryźć go w nogę. Koń nie przepadał również za Essix. Wystarczyło, żeby sokolica się zbliżyła, a natychmiast stawał dęba, rżał i kłapał na nią zębami.

– Może jest głodny – zasugerował Conor, jadący bok w bok z Rollanem.

– Może ma ochotę na ludzkie mięso – odparował Rollan.

Nad nimi rozbrzmiał skrzek sokolicy. Jego koń stulił gniewnie uszy.

– Najwyraźniej nie pogardzi też sokołem – dodał wtedy Rollan.

– Traktuj wierzchowca z szacunkiem, a odwdzięczy ci się tym samym! – zawołał ku niemu Tarik.

„Temu to łatwo mówić" – pomyślał Rollan, przysłuchując się rozmowie Tarika i Meilin o radościach nauki jazdy konnej; każde z nich siedziało w siodle, jeszcze zanim nauczyło się chodzić.

Po kilku godzinach jazdy Rollan był całkiem przemoczony. Otaczał ich pagórkowaty, burozielony krajobraz, pozbawiony jednego choćby drzewka. Nawet gdyby zechcieli się zatrzymać, nie mieliby gdzie się skryć.

– Taak, całkiem jak w domu – powiedział przeciągle Rollan.

Nie potrafił wprost zliczyć wieczorów, które spędził na ulicy, z plecami przyciśniętymi do ściany dla ochrony przed deszczem i z wiecznie pustym żołądkiem.

No ale tym razem przynajmniej był syty.

– Czyżby było ci za ciężko? – zapytała słodko Meilin. Jej mokre czarne włosy wisiały w strąkach.

– Ależ nie – odparował Rollan. – Marznięcie i moknięcie to moja specjalność.

– Miałeś dobrych nauczycieli? – nie ustępowała dziewczyna.

– Jestem samoukiem.

Meilin szybko skryła uśmiech wywołany jego słowami, ale Rollan i tak go dostrzegł. „Punkt dla mnie" – ucieszył się w duchu.

Zaczynał się trochę martwić tym, że coraz bardziej przyzwyczajał się do mieszkania gdzie indziej niż na ulicy. Nadal nie podjął decyzji, czy chce na stałe współpracować z Zielonymi Płaszczami, ale gdyby teraz odszedł, musiałby na nowo przywyknąć do nieustannego głodu, brudu i balansowania na granicy życia i śmierci. Jeszcze do niedawna troszczył się tylko o to, czy będzie miał co zjeść choć raz na trzy dni. Teraz mógł przestać się martwić o pożywienie i wkładał całą energię w prowokowanie do uśmiechu wyniosłej córki generała.

„Stąpasz po cienkim lodzie, Rollan – pomyślał. – Nie zapominaj, jak to jest być zdanym tylko na siebie".

– Będzie łatwiej, kiedy dojedziemy do drzew – powiedział Tarik, wskazując niewielki dębowy zagajnik, widoczny w oddali.

– Musimy się mieć na baczności – Finn odezwał się po raz pierwszy, odkąd wsiedli na konie. – Eura nie jest już tak bezpieczna jak niegdyś. Wszyscy powinniście pamiętać, czego się nauczyliście podczas treningów.

Jasne, ze szkolenia przed wyprawą Rollan zapamiętał głównie to, że Meilin jest groźnym przeciwnikiem, nawet jeśli jej jedyną bronią jest chusteczka.

Koń Rollana natychmiast wykorzystał jego nieuwagę i znów spróbował ugryźć go w nogę.

– Nie ma mowy! – zdenerwował się chłopak, szarpiąc wodze. – To moja ulubiona noga!

– Twój koń był niegdyś zwierzoduchem – odezwał się Tarik, jadący kawałek przed nim. – Jego człowiek zginął w bitwie. Dlatego łatwo się złości.

Rollan walczył dłuższą chwilę, żeby ocalić najpierw jedną, potem drugą nogę.

– Kiepski powód – rzucił wreszcie.

– Słyszałam, że zerwanie więzi jest bardzo bolesnym uczuciem – powiedziała w zamyśleniu Abeke.

– To prawda – przyznał Tarik. – Jak sami wiecie, więź ze zwierzoduchem jest potężna, a z czasem jeszcze się pogłębia. Utrata najbliższego towarzysza przypomina utratę kończyny.

Koń Rollana spróbował po raz kolejny złapać go za nogę. Niewiele brakowało, a żółte zęby dosięgłyby łydki.

– O tym sam mogę się wkrótce przekonać – mruknął chłopak.

– Myślisz, że koń jest zazdrosny o więź między Rollanem i Essix? – zwróciła się do Tarika Abeke.

Niespecjalnie było czego zazdrościć. Essix pomagała Rollanowi, gdy znajdował się w niebezpieczeństwie, ale oboje byli samotnikami. Rollan nie mógł znaleźć sposobu, żeby porozumieć się z sokolicą, i nawet nie był pewien, czy tego chce. Zanim się zjawiła, nieźle radził sobie sam, więc sądził, że gdyby jej zabrakło, nadal dawałby sobie radę. Był przekonany, że Essix czuje to samo.

– Być może – odparł Tarik, wzruszając ramionami. – Albo po prostu przypomniał sobie, co stracił.

Rollan odwrócił się w siodle, żeby spojrzeć na Abeke. Jej więź z Urazą wydawała mu się bardzo silna. Lamparcica chodziła za dziewczyną krok w krok, jakby dzieliły jeden umysł i miały identyczne dążenia. Rollan czuł, że ma z Essix identyczne cele tak często, jak każdy chłopak i jego sokół, czyli… rzadko.

Koń Tarika spłoszył się, zatupał i zaskrobał kopytami o ziemię. Rollan nie od razu dostrzegł, co wystraszyło wierzchowca. Potem zauważył małe, futrzaste stworzenie wspinające się zwinnie po końskim zadzie. Zaskoczony Tarik próbował je odpędzić, a następnie wybuchnął ochrypłym śmiechem.

– To łasica! – zawołał.

Rollan wykrzywił wargi, bo nie znosił łasic nawet bardziej niż koni. Przypominały mu szczury, tylko były dłuższe. Takie jakby futrzaste węże.

– Co się tam dzieje? – zapytał Finn z końca kolumny.

– Wszystko pod kontrolą! – odkrzyknął Tarik, próbując strącić kąsające i drapiące zwierzątko. Wyglądało to tak, jakby walczył z jakimś włochatym szalem.

Conor i Abeke, jadący tuż za nim, ewidentnie nie mogli się zdecydować, czy wolno im się roześmiać.

Łasicy udało się skoczyć Tarikowi do oczu. Mężczyzna ledwo zdążył się zasłonić, a jego koń znów stanął dęba.

Nagle Rollan poczuł przebłysk intuicji. Nie musiał szukać spojrzeniem Essix szybującej po niebie, jego wzrok sam ku niej pobiegł. Sokolica również była w niego wpatrzona. To właśnie mieli wspólne: potrafili przeniknąć zamiary innych ludzi i zwierząt oraz wyczuć niebezpieczeństwo. A kiedy ze sobą współpracowali, ich szósty zmysł jeszcze się wyostrzał.

Teraz Rollan odgadł prawdę tak jasno, jak gdyby ktoś wykrzyczał mu ją do ucha.

Coś było nie w porządku.

Wpadli w pułapkę.

– Uwaga! – zawołał. – Zasadzka!

Finn przesunął wzrokiem po ścianie lasu i wyraz jego twarzy natychmiast się zmienił.

– To Zdobywcy! Do broni!

Spomiędzy zarośli wypadli dwaj mężczyźni, a tuż za nimi lis. Jeden napastnik złapał zdecydowanym ruchem konia Finna za uzdę, a drugi rzucił się na Tarika. Lumeo, wydra Tarika, wyskoczyła nagle z uśpienia. Tymczasem z lasu wybiegł trzeci mężczyzna z borsukiem u boku.

Rollan poczuł, jak żołądek podjeżdża mu do gardła. Stworzenia towarzyszące Zdobywcom nie były zwykłymi zwierzętami. To były zwierzoduchy. Zwierzoduchy Zdobywców.

– Nie stój tak! – krzyknęła Meilin czystym, dźwięcznym głosem. – Do ataku!

Rollan zdał sobie sprawę, że po prostu zamarł w miejscu. Widział, jak Tarik zeskakuje z konia i dobywa noża przeciw atakującemu go mężczyźnie. Łasica, wbijająca zęby w jego ramię, nie ułatwiała mu obrony. Zdobywca z łatwością uniknął pchnięcia nożem – więź z łasicą dawała mu nadludzką zwinność.

Z zarośli wybiegli kolejni Zdobywcy. Zbyt wielu, żeby próbować ich zliczyć. Wszędzie kłębili się ludzie i ich zwierzoduchy. Zdumiewająca liczba zwierzoduchów!

Rollan ponaglił konia kopniakiem, żeby zbliżyć się do walczących. W odpowiedzi wierzchowiec odwrócił łeb i kłapnął zębami.

– Nie! – wrzasnął wściekle Rollan. – Ty trawożerny durniu! Spójrz! Nasi towarzysze mają kłopoty! Ruszaj się!

Koń wierzgnął, więc Rollan złapał się kurczowo jego szyi, żeby nie spaść z siodła. Minął go Briggan i biegnący tuż za nim Conor ze sztyletem w ręce. Zaraz za nimi skoczyła Abeke, uzbrojona w solidny konar. Uraza też rzuciła się w wir walki. Wszyscy śpieszyli z pomocą.

Essix zajazgotała w locie. W języku sokołów jej skrzek musiał ewidentnie oznaczać „zrób coś!".

– Przecież próbuję! – odkrzyknął Rollan. – Gdzie twoja lojalność? – zwrócił się z pretensją do konia.

Tym razem wierzchowiec stanął dęba. Rollan zjechał z siodła śliskiego od deszczu i wylądował niezgrabnie na kamienistym podłożu. Z powodu urażonej dumy i obitej kości ogonowej aż zawył ze złości i bólu. Koń uciekł, zanim ktokolwiek zdołałby wypowiedzieć słowo „zdrajca".

Rollan podniósł się z ziemi. Essix zniżyła lot, żeby się upewnić, czy nic mu nie jest. „Przynajmniej niektórzy wiedzą, co to lojalność" – pomyślał chłopak i pokazał jej uniesiony kciuk. Nie był jednak pewien, czy sokolica go zrozumiała, ptaki przecież nie mają kciuków.

Dwaj Zdobywcy zbliżali się do Tarika. Pierwszy był łysy, jego ramię luźno oplatał wąż. Drugiemu, z bujnymi wąsiskami, towarzyszył niewielki kot. Kiedy Tarik parował ciosy napastników, Lumeo skoczyła na kota. Ich ciała sczepiły się ze sobą, tworząc wirującą kulę sierści, zębów i pazurów. Zdobywca, którego zwierzoduchem był kot, stracił koncentrację. Wojownik Zielonych Płaszczy wykorzystał ten moment i z impetem uderzył przeciwnika w brzuch. Zdobywca zatoczył się na konia Tarika, a gdy zwierzę potraktowało go kopniakiem, osunął się nieprzytomny. Jego kot uciekł do lasu.

Conor i Briggan bronili się przed napastnikiem z borsukiem. Kiedy tylko Briggan złapał borsuka zębami, jego partner wyraźnie osłabł.

Finn stał w cieniu, z opuszczoną głową. Wydawało się, że on również toczy walkę, lecz bitwa, w której brał udział, rozgrywała się za jego zamkniętymi powiekami. Na szczęście jak dotąd Zdobywcy go nie dostrzegli.

Kawałek dalej Meilin stawiała czoła dwóm innym wrogom. Kiedy Abeke ruszyła jej na pomoc, dziewczyna krzyknęła:

– Nie zbliżaj się! Nie potrzebuję twojej pomocy!

Abeke wyglądała na urażoną, ale nie dała się odpędzić. Skoczyła na ratunek Finnowi, którego w końcu zauważył jeden ze Zdobywców. Meilin, Abeke i Finn dawali odpór przeciwnikom, choć nie było to łatwe. Tarik jednak zmagał się nie tylko z uprzykrzoną łasicą, lecz także z łysym Zdobywcą z wężem owiniętym wokół ramienia.

Rollan rzucił się biegiem w stronę Tarika, widząc, że łasica wspina się ku jego twarzy. W tej właśnie chwili łysy Zdobywca wypuścił węża. Tarik, któremu łasica zasłoniła oczy, nie mógł dostrzec nowego zagrożenia.

– Tarik! – wrzasnął Rollan. – Uważaj, wąż!

Tarik zacisnął dłoń na łuskowatym ciele zwierzęcia, ale było już za późno. Gad zatopił zęby w jego ramieniu. Wojownikowi udało się w końcu zrzucić z siebie oba zwierzoduchy, ale gdy tego dokonał, zachwiał się osłabiony. Łysy napastnik, który czekał na ten właśnie moment, uniósł miecz do śmiertelnego ciosu.

Rollan wiedział, że nie zdąży dobiec do Tarika.

– Essix! – zakrzyknął, bo wierzył, że sokolica przybędzie im z pomocą w tej krytycznej chwili.

Essix zleciała z nieba z wyciągniętymi szponami. Wylądowała na łysej głowie Zdobywcy, zanim ten zdążył zadać cios. Mężczyzna zamachał rękami, oślepiony przez pióra sokolicy, a wtedy Rollan rzucił się po jego miecz, który upadł na ziemię.

– Zabierzcie to ode mnie! – wrzeszczał Zdobywca, zaciskając mocno powieki, bo czuł, że szpony Essix były niebezpiecznie blisko jego oczu.

Rollan wywijał groźnie zdobycznym mieczem.

– A zostawicie nas w spokoju?!

– Cokolwiek każesz! – odparł mężczyzna. – Zaufaj mi!

Kątem oka Rollan dostrzegł, jak wąż pełznie w górę po ramieniu Zdobywcy.

– Masz pecha – powiedział. – Ja nikomu nie ufam.

Zdobywca cisnął węża przed siebie, ale Rollan był już na to przygotowany. Machnął mieczem i ciężka klinga rozcięła gada na dwie połowy. Chłopak uderzył ostrzem jeszcze raz. I trafił Zdobywcę w nogę.

Obaj zakrzyczeli: Zdobywca z bólu, Rollan z zaskoczenia – pierwszy raz w życiu ugodził człowieka prawdziwym mieczem. I nikt nawet tego nie zauważył! „No, nikt poza Essix" – pomyślał Rollan, gdy dostrzegł, jak sokolica wzbija się do lotu, wydając skrzeknięcia pełne uznania. Pozdrowił ją dłonią i odwrócił się, żeby zakończyć walkę z drugim zwierzoduchem, jednak łasica zniknęła już wśród drzew, prawdopodobnie w poszukiwaniu swojego ludzkiego towarzysza.

Łysy Zdobywca nadal się wydzierał.

– Nie waż się nawet ruszyć – zagroził Rollan, kierując w jego stronę miecz. – Spróbujesz uciec, a stracisz coś cennego. Na przykład życie.

Wtem z miejsca, w którym walczył Conor, rozległ się wrzask. Nie cofając ostrza przytkniętego do piersi Zdobywcy, Rollan zerknął w tamtą stronę. Briggan zaciskał szczęki na borsuku, zwierzoduchu jednego z napastników. Ów stał na skraju lasu i z wyraźnym lękiem obserwował to, co się dzieje. Wilk zawarczał i otworzył pysk, a borsuk upadł bez życia na trawę.

Zdobywca podniósł rękę, żeby przywołać swojego zwierzoducha, lecz nic się nie stało. Spróbował jeszcze raz, znowu bezskutecznie. Spojrzał na swoje ramię, na którym nie pojawił się tatuaż, i krzyknął z rozpaczy. Nikt nie próbował go zatrzymać, kiedy ruszył, żeby zabrać martwego borsuka. Mężczyzna nawet nie spojrzał na walczących, tylko bez słowa zniknął w lesie.

Conor nie podążył za przeciwnikiem. Stał bez ruchu, a na jego twarzy malował się smutek.

Natomiast Rollan nie współczuł Zdobywcy – napastnik powinien był wiedzieć, że pole bitwy, w której biorą udział Wielkie Bestie, to nie miejsce dla borsuka.

Niestety, chwilę nieuwagi Rollana wykorzystał jego jeniec i uciekł do lasu. Chłopak nie zamierzał go jednak ścigać. Podszedł do rannego Tarika, którego odzienie było porwane i zakrwawione.

– Nie jest tak źle, jak wygląda – wymamrotał Tarik przez zęby zaciśnięte z bólu.

– Ten wąż… – zaczął Rollan.

– Żmija eurańska. Potrzebna mi ziołowa odtrutka na jad. Niestety, będzie coraz gorzej.

Teraz Rollan naprawdę się zaniepokoił.

– Zostałeś już kiedyś ukąszony?

– Nie, ale widywałem ludzi zaatakowanych przez takiego gada – odpowiedział spokojnie Tarik.

– Możesz chodzić?

Mężczyzna się skrzywił i spytał:

– Czy mój koń uciekł?

Conor, który właśnie zbliżał się w ich stronę, ponuro pokiwał głową na potwierdzenie.

Wokół słychać było jedynie jęki Zdobywców, dochodzące z lasu. Zniesmaczony Rollan doszedł do wniosku, że skoro to oni rozpoczęli walkę, powinni znosić ból i porażkę w milczeniu.

Zawołał kolejno Meilin, Abeke i Finna.

Żadnej odpowiedzi.

– Gdzie oni się podziali? – zapytał Conora, który wskazał ręką kierunek i wyjaśnił:

– Pogalopowali w tamtą stronę, ale nie uda nam się ich dogonić. Nasze konie uciekły.

Rzeczywiście, nawet posłuszny rumak Tarika umknął spłoszony walką.

– No cóż, niezła przygoda – zauważył Rollan. – Troje zaginęło, jeden pokąsany. Co będzie dalej?

Tarik, z grymasem bólu na twarzy, odezwał się szeptem, żeby uniemożliwić podsłuchiwanie Zdobywcom w lesie.

– W pobliżu mieszka kobieta należąca do Zielonych Płaszczy. Nasza dawna informatorka. Myślę, że tam powinniśmy się udać. Ona na pewno będzie miała odtrutkę na jad żmii. Poza tym Finn także ją zna, więc może wpadnie na ten sam pomysł. Obawiam się jednak, że będziecie musieli pomóc mi iść.

Conor i Rollan ujęli rannego towarzysza pod ramiona i postawili go na nogi. Lumeo, której sierść była zwichrzona i mokra po walce w wilgotnym, leśnym poszyciu, trzymała się blisko. Wesoły zazwyczaj zwierzak był teraz skupiony i czujny, starał się przewidzieć, czego Tarik może od niego potrzebować.

– Wszystko w porządku, stary przyjacielu – powiedział do swojego zwierzoducha wojownik, choć jego ciałem wstrząsały dreszcze. – Nie martw się.

– Myślisz, że pozostali dadzą sobie radę? – zapytał Conor. – Mówiłeś, że Finn jest jedynie zwiadowcą i nie może walczyć.

– On nie, ale Meilin może – odparł Tarik. – I to naprawdę świetnie, jak się okazało. A Finn ma głowę na karku, więc jestem dobrej myśli. My natomiast powinniśmy już ruszać. To niedaleko, lecz jak widać, nie jestem w najlepszej formie i będzie nam trudniej iść.

Tarik starał się być mężny, lecz wraz z zapadającym mrokiem stało się jasne, że stan dowódcy coraz bardziej się pogarsza. Kiedy nadeszła noc, wojownik zaczął się pocić i dygotać. Rollan zastanawiał się cały czas, jak szybko zadziała odtrutka na jad.

W końcu Tarik wyszeptał:

– Tam! To tam!

– Zamek! – wykrzyknął Conor.

Rollan przymrużył oczy, przyglądając się samotnej szarej wieży, która majaczyła w deszczu i mroku. Budynek wyglądał jak dzieło dziecka pozbawionego wyobraźni. Do środka prowadziły jedne, bardzo niskie drzwi, a w murach nie było żadnych okien.

– Jeśli to jest zamek, to gdzie się podziała cała reszta budowli?

– Żebracy nie mogą sobie pozwolić na wybrzydzanie – skwitował Tarik. – Pomóżcie mi wspiąć się do wejścia.

Podeszli do drzwi i Tarik zapukał w umówiony zawczasu, skomplikowany sposób. Kiedy nic się nie wydarzyło, zastukał ponownie.

– Czasami udaje, że jest głucha – wyjaśnił chłopcom.

Tym razem drzwi się otworzyły. Stanęła w nich staruszka. Była niziutka i pomarszczona jak kora starego drzewa owocowego.

– Bom rzeczywiście głucha – powiedziała.

Rollan i Conor wymienili spojrzenia za plecami Tarika.

– O, Tarit – wychrypiała staruszka. Jej głos brzmiał jak szeleszczenie suchych liści. Obok drzwi na kołku wisiał wyblakły zielony płaszcz, ale wyglądało na to, że już od dawna nikt go nie zakładał. – Sporo czasu minęło.

– Mam na imię Tarik – poprawił ją wojownik.

– Przecie mówię. Mniej się ciebie zrobiło. Mniej niż ostatnim razem.

– Wąż i łasica trochę mnie ujęły. Dokładnie mówiąc, żmija eurańska. Co do łasicy, odmiany nie znam.

Staruszka dostrzegła w końcu Conora i Rollana.

– Widzę dwóch nowych.

Rollan uznał, że jej głos przypomina jednak bardziej chrzęst przeżuwanych kamyków.

– Jednego – zastrzegł prędko. – Ja nie należę do Zielonych Płaszczy.

– Musiałaś o nich słyszeć, lady Evelyn – powiedział słabym głosem Tarik. – To dzieci, które przyzwały Wielkie Bestie, Czworo Poległych.

Staruszka wpatrywała się badawczo w chłopców. Żaden z nich nie czuł się zbyt dobrze pod jej świdrującym spojrzeniem. Rollan uciekł wzrokiem w bok, żeby nie wlepiać oczu w srebrzysty meszek nad górną wargą leciwej kobiety.

– Ależ nie, Tarin, musiałeś się omylić – zaskrzypiała lady Evelyn. – Przecie widzę, że tych smyków jest dwóch, a tamtych miało być czworo.

– Tarik – poprawił raz jeszcze wojownik. – Na szlaku doszło do utarczki. Na razie nie mamy kontaktu z pozostałą dwójką.

– Zgubiłeś połowę Poległych Bestii? Bardzo nieostrożnie – powiedziała z dezaprobatą staruszka. Tym razem jej głos zabrzmiał tak, jakby ktoś rozdeptał bardzo dużego chrząszcza. – Wchodź, wchodź, zanim pozostałą dwójkę też zgubisz.

Wnętrze wieży było zaniedbane i pełne przykurzonych sprzętów. Klepisko pokrywała słoma, a wąskie otwory strzeleckie były zasłonięte wytartymi i dziurawymi kilimami. Nad paleniskiem wisiał kociołek, w którym gotowała się jakaś rzadka, szara polewka. Kręte schody wiodły donikąd. Rollan widział, że w górze strop wieży ginie w mroku. Essix zdążyła już pofrunąć tam na zwiady.

– Wiem, co sobie myślisz, chłopcze bez zielonego płaszcza – odezwała się lady Evelyn. Postukiwała flakonami i szklanymi buteleczkami, szeleściła suszonymi ziołami, leżącymi w stertach na półkach. – Myślisz sobie, że brzydki ten zamek. Ale wcale nie miał być ładny. Miał służyć do ukrywania kradzionego bydła.

– Dlaczego ktoś miałby chcieć kraść bydło? – zdziwił się Conor.

Staruszka zaśmiała się rechotliwie.

– A kto by nie chciał? – odpowiedziała pytaniem.

– Ja – odparł Conor.

Lady Evelyn odwróciła się i pociągnęła nosem.

– Aha, tyś przecie pasterski syn. Strażnik, nie rabuś.

Conor, zaskoczony jej intuicją, powąchał wilgotny rękaw swojej koszuli, żeby sprawdzić, czy nadal można wyczuć zapach jego dawnego życia.

Rozmowę przerwało im ciche parskanie.

– A, tak – powiedziała lady Evelyn. – To mój zwierzoduch, Dot.

Rollan zmarszczył twarz w grymasie. Następny koń. Dot miała krzywy grzbiet, czarno-białą maść i była niewielka, nawet jak na miniaturowego kucyka. Rozmiarami bliżej jej było do psa. Poniżej jej chrap srebrzył się delikatny meszek.

– Przeciwieństwo Wielkiej Bestii – szepnął Rollan do Conora.

Lady Evelyn postanowiła puścić ten komentarz mimo uszu. Zgarnęła ze stołu kilka brudnych talerzy i zwojów pergaminu.

– Połóżcie tu Tarbina, żebym mogła go zbadać. A potem wysuszcie się przy ogniu i poczęstujcie się obiadem, synkowie.

Obaj chłopcy niechętnie zdjęli przemoczone opończe, żeby rozwiesić je przy palenisku, po czym zajrzeli do bulgoczącego kociołka. Co jakiś czas coś białego i bezkształtnego to wynurzało się na powierzchnię, to znów znikało w szarej brei.

– Nie jestem pewien, czy to obiad, czy raczej pranie – ocenił Conor.

Rollanowi zaburczało głośno w brzuchu. On nie był wybredny.

– Na ulicach pięknej Cordoby zdarzało mi się jeść i pranie – stwierdził.

Conor zabełtał chochlą w kociołku i nabrał z dna czegoś brązowego i łykowatego.

– To jednak obiad – ocenił Rollan. – Pranie nie bywa łykowate.

Conor nie wyglądał na chętnego skosztować jadła. Najwyraźniej pasterscy synowie mieli podniebienia bardziej wybredne od uliczników.

Rollan odważył się spróbować burego gulaszu. Smakował jak zawartość kałuży w kiepskiej dzielnicy miasta.

– Smaczne? – zapytał Conor.

– Wyborne.

Conor spojrzał na lady Evelyn, zajmującą się Tarikiem.

– Myślisz, że nic mu nie będzie? – zapytał kolegę.

Rollan nie chciał kłamać.

– Nie wiem – odparł po prostu.

Przez jakiś czas jedli w milczeniu. Tarikowi nie do końca udało się zdusić jęki bólu, ale wreszcie i on ucichł. Ani Rollan, ani Conor nie byli pewni, co to oznacza.

– Chłopcze z Zielonych Płaszczy – odezwała się zza ich pleców lady Evelyn. – I ty bez płaszcza też. Muszę z wami mówić. O waszej misji.

Usiedli we trójkę przy stole.

– Tarilowi już nic nie dolega – powiedziała cicho staruszka. – Dałam mu coś na sen. Wyzdrowieje, ale to potrwa. Miał szczęście, że gadzina nie ukąsiła go bliżej serca, ale i tak trudno mu będzie zwalczyć jad. Będzie potrzebował długiego wypoczynku i stałej opieki. Szczęściem, ja sama nigdy nie odpoczywam i zawsze jestem czujna. Taril nie będzie mógł wam jednak towarzyszyć.

– Co?! – wykrzyknął Conor.

Obaj z Rollanem popatrzyli na swojego mentora. Choć na jego twarzy malował się spokój, jego skóra wydawała się dziwnie luźna, a usta były spierzchnięte. Oddech rwał mu się w piersi, a palce drżały, tak jak w drodze do wieży. Było jasne, że Tarik zużył resztki sił na doprowadzenie ich w bezpieczne miejsce.

Rollan sam nie wiedział, jak powinien się czuć. Nie należał do Zielonych Płaszczy, w zasadzie więc nie był Tarikowi nic winien. Z drugiej jednak strony wojownik szkolił go i bronił, i zawsze okazywał mu życzliwość, choć Rollan nie mógł mieć pewności, czy jedyną przyczyną tej przychylności nie była przypadkiem Essix. Chłopakowi trudno było patrzeć na Tarika trawionego przez jad żmii: bezbronnego i u progu śmierci.

– Powiedział mi, że inny ze starszych Zielonych Płaszczy... Jak mu było? Fonn? Finn? Fann? Powinien tu dotrzeć z pozostałymi towarzyszami Poległych Bestii. Ale jeśli nie zjawią się do rana, musicie ruszać dalej sami.

– Sami? – powtórzył z niedowierzaniem Conor.

– Czas ucieka. Nie tylko Zielone Płaszcze szukają dzika Rumfussa.

– Przecież my nawet nie wiemy, w którą stronę trzeba iść! – zaprotestował Conor.

Żołądek Rollana ścisnął się ze strachu i robił się tym mniejszy, im dłużej chłopak rozważał sytuację. Przecież dopiero co o włos uniknęli śmierci z rąk Zdobywców. Tarik miał dużo większe doświadczenie niż on sam czy Conor, mimo to teraz leżał półprzytomny na stole i trzeba go było karmić kleikiem. Podczas ostatniego spotkania z Wielką Bestią cała ich czwórka miała wsparcie dorosłych. Nawet gdyby za sprawą jakiegoś niezwykle szczęśliwego zbiegu okoliczności udało im się odnaleźć Finna, nie był on już przecież wojownikiem. A to oznaczało, że Rollan i Conor musieliby sami wyruszyć w głuszę na spotkanie Rumfussa.

– Mam mapę – odezwała się lady Evelyn.

Kiedy żaden z chłopców nie okazał zainteresowania, spytała:

– Wiecie, co to mapa, synkowie?

Rollan i Conor znów wymienili rozpaczliwe spojrzenia.

Staruszka rozłożyła mapę na piersi śpiącego Tarika i wskazała miasto na północy.

– To jest Glengavin. Plotka niesie, że Rumfuss jest gdzieś w tej okolicy. Wiem, co sobie myślicie. Myślicie, że to bardzo daleka północ, że ludzie malują tam twarze na niebiesko i zjadają obcych.

Ani Rollan, ani Conor wcześniej o tym nie słyszeli. Teraz jednak nie mogli już myśleć o niczym innym.

– Władca Glengavin żyje w przyjaźni z Zielonymi Płaszczami – ciągnęła lady Evelyn. – Powinien was ugościć, albo przynajmniej nie stawać wam na zawadzie. Okolica jest dość dzika, więc bez mapy możecie nie trafić.

– Gdzie jesteśmy teraz? – zapytał Rollan.

Staruszka przesunęła palcem po mapie i wskazała miejsce na południe od Glengavin.

– Tutaj.

– O! – zawołał mile zaskoczony Conor. – To blisko Trunswicku. I w dodatku po drodze.

– Co to za miasto? – chciał wiedzieć Rollan. – I dlaczego na samą wzmiankę o nim podskakujesz jak nerwowy gołąb?

– Kiedyś byłem tam służącym – wyjaśnił Conor. – A w pobliżu jest gospodarstwo mojej rodziny.

– Nie macie czasu na wycieczki, chłopcze – przestrzegła lady Evelyn. – Trzymajcie się swojego zadania.

Conorowi zrzedła mina.

– Tak, oczywiście. Jasne.

Rollan nie mógł nic poradzić na to, że przygnębienie Conora udzieliło się również jemu.

– Może uda nam się tam jutro przenocować – zaproponował. – Co prawda to nie to samo co dom, ale miasto leży w twoich rodzinnych stronach, nie?

Twarz Conora momentalnie pojaśniała.

– Na pewno ciepło by nas przyjęli. A moja matka…

– Zda mi się, żem słyszała jakieś plotki o tym Trunswicku – przerwała im lady Evelyn, a na jej twarzy pojawił się wyraz niepewności.

– Dobre czy złe?

Staruszka zastukała patykiem po swoich nielicznych zębach.

– Coś o Zielonych Płaszczach i o Pożeraczu. A może to było Trynsfield? Albo Brunswick? Trunbridge? O którym mieście rozmawialiśmy?

– O Trunswicku. To tutaj – przypomniał Conor.

– Na pewno bardzo tam ładnie – powiedziała staruszka.

6

SKALPOWNICY

Finn, Meilin i Abeke się ukrywali. Wraz z Urazą schowali się pomiędzy dwoma wielkimi kamieniami. Jak daleko sięgali wzrokiem – a w ciemności raczej niedaleko – wokół widzieli opierające się o siebie głazy wysokości dorosłego mężczyzny, przypominające monstrualne zęby. Abeke podziwiała ten niezwykły krajobraz i nasłuchiwała odgłosów nocy, a Meilin sprzeczała się cicho z Finnem.

– Dziś nie jest dobra noc na śmierć – powiedział ochrypłym szeptem Finn.

– Wcale nie mówię, że mamy ginąć – odparła gniewnie Meilin. – Proponowałam tylko, żebyśmy wrócili po pozostałych członków naszej drużyny.

– W tej chwili to jedno i to samo – mruknął Finn.

– Sza, przestańcie – uciszyła ich Abeke i wskazała palcem w ciemność.

Uraza, strzygąc uszami, też patrzyła w tamtym kierunku. Mrok nocy dobrze strzegł swoich tajemnic – Abeke wychwyciła jedynie mokre kląskanie ludzkich stóp na kamienistym podłożu. To musiał być jeden ze Zdobywców. I musiał być blisko.

Meilin chciała coś powiedzieć, ale Abeke uniosła palec do ust, nakazując milczenie. Żeby zmylić ścigających ich wrogów, wiele godzin kluczyli. Podczas ucieczki stracili z oczu Conora, Rollana i Tarika i zgubiliby także drogę, gdyby nie doświadczenie zwiadowcze Finna.

Odgłos kroków był coraz wyraźniejszy. Uraza zesztywniała. Abeke poczuła, że ciało lamparcicy lekko wibruje od niesłyszalnego warkotu. Finn wyciągnął rękę na znak, żeby nikt się nie ruszał.

Wstrzymali oddechy i nasłuchiwali, jak ktoś wspina się na głazy niedaleko nich. Wystarczyło, żeby pokonał jeszcze dwa czy trzy kamienne kły, a znalazłby ich kryjówkę.

Zdobywca wspiął się na następny głaz, po czym zasapał głośno i wylądował z chrzęstem u jego podstawy. Abeke zaczęła podejrzewać, że mężczyzna nie jest tu z ich powodu. Gdyby ich tropił, starałby się poruszać ciszej. Z drugiej jednak strony mogła się mylić. Zawsze zaskakiwało ją to, że większość ludzi nie zdawała sobie sprawy, jak wielki czynią wokół siebie hałas. Właśnie dlatego tak duże wrażenie robił na niej Finn, który poruszał się bezszelestnie jak Uraza.

Nagle Abeke zdała sobie sprawę, że Zdobywca znajduje się tuż obok. Mężczyzna był po drugiej stronie głazu, za którym klęczała.

Każdy mięsień w ciele Urazy był napięty jak struna. Serce Abeke waliło tak głośno, że dziewczyna ledwo słyszała cokolwiek innego. Przesunęła dłonią po sierści lamparcicy i jej puls z wolna się uspokoił. Wychwyciła odgłos macania – najwyraźniej mężczyzna starał się wybadać drogę wokół głazu.

Był bardzo blisko.

Finn zamknął oczy. O dziwo, wyglądał bardzo spokojnie. Jedno ramię trzymał w poprzek klatki piersiowej w taki sposób, że dwoma palcami dotykał bicepsu. „Czy tam właśnie kryje się tatuaż jego zwierzoducha?" – zastanawiała się Abeke.

Wtem usłyszała drapanie cienkich pazurów i zgrzytanie zębów – do Zdobywcy dołączył jego zwierzoduch. W nieprzeniknionych ciemnościach małe, zapewne głodne zwierzę wydało jej się bardziej przerażające niż jakieś duże stworzenie. Małego napastnika mogłaby nie dostrzec, nim byłoby za późno...

Po chwili doszedł ją ochrypły głos:

– Idziemy, Tan.

Kroki Zdobywcy rozległy się najpierw blisko, a potem dochodziły z coraz większej i większej odległości. Mężczyzna odszedł z Tanem, kimkolwiek on był.

Bardzo długo siedzieli w zupełnej ciszy, aż w końcu Finn wypuścił z ulgą powietrze. Abeke rozluźniła pięść zaciśniętą na sierści lamparcicy, a napięcie mięśni Urazy zniknęło.

Meilin zwróciła się do Finna:

– Mamy jakieś ustalone miejsce zbiórki? Miejsce, gdzie możemy dołączyć do Tarika i pozostałych?

Abeke nie była zaskoczona, że dziewczyna nie potrzebuje czasu, żeby ochłonąć, i od razu rzeczowo przystępuje do układania strategii. Serce Meilin było polem bitwy.

– Mieliśmy – odpowiedział Finn. – Miejscowy punkt orientacyjny Zielonych Płaszczy. Ale już go minęliśmy i żeby do niego wrócić, musielibyśmy zaryzykować kolejną potyczkę. Myślę, że powinniśmy ruszać do Trunswicku. Nawet jeśli nie spotkamy tam naszych towarzyszy, możemy spróbować wysłać z miasta wiadomość do Zielonej Przystani.

Abeke pomyślała o strasznej walce w lesie i zadrżała. Miała nadzieję, że pozostałym członkom drużyny nic się nie stało.

– Wiadomość? W jaki sposób? – zapytała.

– Złociste gołębie przenoszą wiadomości pomiędzy wieloma dużymi miastami Eury – odparł Finn. – Większość członków naszej organizacji wie, gdzie szukać gołębiarzy.

„Hmm… może udałoby mi się tak wysłać wiadomość do rodziny?" – pomyślała Abeke.

Finn musiał wyczuć jej zainteresowanie, bo jego twarz złagodniała.

– Nauczę cię, jak to się robi, jeśli będzie okazja – zapewnił.

Meilin spojrzała na towarzyszkę podejrzliwie, ale nic nie powiedziała.

„No co? Co tym razem zrobiłam? Aha... – zasępiła się Abeke. – Ona pewnie uważa, że zamierzam przesłać wiadomość naszym wrogom". Chciałaby umieć rozwiać wątpliwości koleżanki, ale nie wiedziała, jak to zrobić, żeby nie wydało się to jeszcze bardziej podejrzane.

– A więc ruszamy do Trunswicku? – zapytała.

– To jeszcze daleko – powiedział Finn i wstał, zesztywniały od siedzenia w niewygodnej pozycji. – Znajdźmy jakieś miejsce na nocleg. Coś wygodniejszego niż te głazy.

Wygoda według Finna oznaczała spanie pod głazami zamiast na nich. Noc spędzili pod występem skalnym na skraju pola usłanego wielkimi kamieniami. Nie było im zbyt wygodnie, ale schronienie osłaniało przynajmniej przed deszczem i wiatrem. Abeke i Uraza przytuliły się jak siostry i zapadły w sen.

O brzasku otoczenie wyglądało całkiem inaczej. Abeke, która prawie całe życie spędziła w Nilo, nigdy wcześniej nie widziała podobnego krajobrazu. Z jednej strony rozciągał się obszar pokryty dziwnymi, kwadratowymi głazami, a z drugiej – płaskie, zielono-fioletowe pole, które wydawało się nie mieć końca. Finn niemal wtapiał się w otoczenie: jego zielonkawo-fioletowe tatuaże przypominały kolorem okoliczne łąki, a siwe włosy – nisko wiszące chmury.

– Te dziwne głazy noszą nazwę Szachownicy Olbrzyma. A przed nami jest wrzosowisko – wyjaśnił Finn. –

Wygląda niewinnie, ale potrafi być zdradliwe. Grunt jest miejscami rozmiękły, bagnisty i bez trudu może pochłonąć człowieka. Albo pandę.

Meilin przeciągnęła się dyskretnie i stwierdziła:

– Będę dziś trzymała Jhi w uśpieniu.

– Myślisz, że bezpiecznie będzie pozwolić Urazie iść samej? – zapytała Abeke, muskając palcami grzbiet lamparcicy. – Kiedy tylko może, woli biegać.

„Jak ja" – dodała w myślach.

– Sądzę, że tak – odparł Finn. – Koty są ostrożne. Ale jeśli kogoś zauważymy, rozsądniej będzie, jeśli przejdzie w stan uśpienia.

– Rzeczywiście, nie da się jej pomylić ze zwykłą lamparcicą – zauważyła Abeke. Podziw brzmiący w jej głosie mile połechtał Urazę.

– W Eurze zwykłe lamparty nie występują zbyt licznie. A niezwykłe nie trafiają się wcale – stwierdził Finn.

Ruszyli przez bezkresne wrzosowisko. Ledwie zostawili za sobą Szachownicę Olbrzyma, grunt pod ich stopami zamienił się w muł podeszły wodą. Gdyby Abeke nie uważała, gdzie stąpa, mogła wpaść w grzęzawisko aż po czubek głowy albo jeszcze głębiej, zanim zdążyłaby choćby krzyknąć.

I rzeczywiście nie minęło wiele czasu, a doszło do nieszczęścia. Nie chodziło o to, że Abeke coś usłyszała. Przeciwnie – nagle przestała coś słyszeć. Po sekundzie uświadomiła sobie, że nie słyszy oddechu Meilin. Bo Meilin nagle zniknęła.

Abeke rozejrzała się we wszystkie strony, ale wokół było jedynie wrzosowisko.

– Finn! – zawołała.

Mężczyzna zrozumiał natychmiast.

– Gdzie? – zapytał.

– Nie wiem!

Oboje przepatrzyli okoliczne zarośla w poszukiwaniu Meilin, ale nawet Urazie nie udało się jej odnaleźć. Abeke była boleśnie świadoma faktu, że koleżanka pozbawiona dopływu powietrza z każdą sekundą coraz bardziej traci szansę na przeżycie.

– Urazo – powiedział nagląco Finn – czy masz jakiś pomysł?

Lamparcica spuściła łeb z rezygnacją.

Wtedy dostrzegli rękę Meilin. Dłoń wyglądała tak, jakby wyrastała spomiędzy kęp trawy. Dziewczyna zdołała palcami wymacać roślinność, złapała się łodyg i choć nie było żadnej szansy, żeby udało jej się samej wydostać z bagna, i tak zamierzała spróbować. Finn doskoczył i chwycił ją za przedramię jedną dłonią, drugą zaś wyciągnął w stronę Abeke.

– Nie pozwól, żebyśmy oboje poszli na dno – poprosił.

Abeke ujęła jego rękę i zaparła się stopami na twardym gruncie. Zaczęli razem ciągnąć i wreszcie zdradliwe grzęzawisko wypuściło Meilin na powierzchnię. Dziewczyna poczołgała się niezdarnie po trawie i krztusząc się, wypluła mulistą wodę.

– Witaj z powrotem – powiedział Finn, łapiąc oddech.

– Poradziłabym sobie sama – odparowała Meilin, wypluwając tym razem brudną trawę.

Finn przybrał minę trudną do rozszyfrowania.

– Następnym razem ja i Abeke będziemy pamiętać, jaka jesteś samodzielna – rzucił.

Abeke skryła uśmiech.

Meilin podniosła upuszczoną torbę. Zachowywała się tak, jakby niebezpieczny wypadek nie zrobił na niej żadnego wrażenia.

– W tym klimacie – powiedziała, wytrząsając wodę z włosów – moje ubranie będzie schło całe wieki.

– Zalecałem ostrożność – przypomniał jej Finn. – Starajmy się nie tracić głowy.

Gdy ruszyli dalej, Abeke miała ciągle przed oczami rękę Meilin wystającą z bagna, więc szła jeszcze ostrożniej. Szybko jednak zauważyła, z jaką łatwością Uraza wybiera stabilne połacie gruntu. Przekonała się również, że jeśli mocno skupi się na lamparcicy, sama też czuje się dużo pewniej dzięki wyostrzonym zmysłom. Wkrótce obie pokonywały wrzosowisko lekko, niemal tanecznym krokiem.

Abeke odzyskała dobry nastrój i wraz z lamparcicą wyprzedziła swoich towarzyszy. Jednak po krótkim czasie obie się zawahały. Abeke wyczuła przed sobą czyjąś obecność, a po chwili zobaczyła dwie postacie majaczące w oddali.

– Uraza! – zawołała i wyciągnęła ramię.

Lamparcica zniknęła, żeby pojawić się jako tatuaż na skórze dziewczyny. Abeke zauważyła, że towarzyszące temu doznanie przypominało teraz podmuch ciepła i było całkiem przyjemne. Poczuła się silniejsza, jakby Uraza stawała się jej częścią. Z drugiej strony miała wrażenie, że jej zwierzoduch nadal kroczy obok niej.

– O co chodzi? Co cię zaniepokoiło? – zapytała Meilin, zbliżając się z Finnem.

Zwiadowca powiódł wzrokiem po ludzkich sylwetkach, w które się wpatrywała Abeke. Gdy postacie się zbliżyły, Abeke dostrzegła, że jedna z nich niesie pikę ozdobioną krótką, czerwono-białą flagą.

– Nie podoba mi się to – powiedział Finn. – To chyba skalpownicy.

Meilin przymrużyła oczy.

– Kim oni są?

– To banda łajdaków sprzedających podrabiany Nektar. Handlują też skórami zwierzoduchów – odrzekł posępnym głosem Finn.

– Co?! – wykrzyknęła Abeke. – Dlaczego?!

Finn skrzyżował ramiona i oparł dłonie na bicepsach, pokrytych skomplikowanymi tatuażami.

– Istnieje pewien okropny przesąd, według którego noszenie skóry zdartej z zabitego zwierzoducha nadaje człowiekowi jego moc, nawet jeśli nie udało mu się przyzwać przeznaczonego mu zwierzęcia. Musicie zatem ukrywać, że macie zwierzoduchy, bo inaczej skalpownicy mogą nas zaatakować.

Słysząc to, Meilin i Abeke bez słowa zasłoniły przedramiona rękawami.

Ludzie się zbliżali, ciągnąc niewielki wózek. Meilin zgarbiła się i opuściła głowę. W jednej chwili zamieniła się w nieszkodliwą i nieśmiałą dziewczynę ze wsi. Abeke zrobiła pośpiesznie to samo, choć nie była pewna, czy potrafi grać równie przekonująco, co Meilin.

– Witajcie, witajcie! – powiedział pierwszy ze skalpowników. Miał bardzo szczery, szeroki uśmiech, który był niczym z gumy – mógłby się rozciągać i rozciągać bez końca.

Gdyby Finn nie był wcześniej tak niespokojny i ich nie ostrzegł, Abeke prawdopodobnie zaufałaby obcemu.

– Piękny mamy poranek – odezwała się towarzysząca mu kobieta. Ona również wydawała się przyjaźnie nastawiona. Przywoływała na myśl owsiankę: emanowała ciepłem i miała dołeczki w policzkach i brodzie. – Podróżujecie, widzę – zwróciła się do zwiadowcy. – Z córkami? Służkami?

Abeke i Meilin wymieniły ukradkiem rozdrażnione spojrzenia.

– Z przybranymi córkami – odparł spokojnie Finn.

– Aha, aha – powiedział mężczyzna. – Po akcencie poznaję, że pochodzisz z północy.

Jego głos zabrzmiał zaczepnie, niczym wyzwanie lub pogróżka, lecz Finn nie dał się sprowokować.

– Tam właśnie zmierzamy – wyjaśnił. – Będą się uczyć śpiewać dla tych, których więzi ze zwierzoduchami są trudne.

– Szlachetne powołanie – skomentowała kobieta.

– Szlachetne – zgodził się jej towarzysz. – Trudne więzi, hę? Ile macie lat, córeczki? Dość, jak widzę. Macie zwierzoduszki?

Meilin odwróciła twarz i udało jej się nawet zaczerwienić. Wyglądała na nazbyt wstydliwą, żeby choć myśleć o udzieleniu odpowiedzi. Abeke trzymała głowę opuszczoną i miała nadzieję, że również wygląda na nieśmiałą. Zaczęła powoli zmieniać zdanie na temat uśmiechniętego mężczyzny.

– Znacie legendę o czarnej panterze? – zapytał skalpownik.

Finn zacisnął wargi. Abeke pokręciła głową ledwo zauważalnie. Meilin w ogóle się nie poruszyła.

– Na północ wędrują, a legendy o czarnym kocie nie znają! – wykrzyknęła ze zdziwieniem kobieta. – Od lat na północy ludzie opowiadają o wielkich, czarnych kotach, o panterach włóczących się po wrzosowiskach. Niezwykłe stworzenia z tych czarnych panter. Wielkie jak konie. Groźne! Magii pełne!

– Na północy nie ma już żadnych dzikich czarnych kotów – powiedział neutralnym tonem Finn.

– Oj tam! – żachnął się skalpownik. – Miejcie nieco wiary! Wedle przepowiedni pojawi się chłopak, co z czarną panterą więź stworzy i całą północ od prześladowań i nędzy wybawi! I poprowadzi nas ku wspaniałej, spokojnej przyszłości!

– Może jedno z was jest dzieckiem z przepowiedni! – wtrąciła kobieta.

Abeke zapomniała, że ma udawać nieśmiałą.

– Nie jestem chłopcem – rzuciła.

Na twarzy skalpownika znowu pojawił się bardzo szeroki uśmiech.

– Słusznie. Ale możemy sprzedać ci miksturę, która wymusi powstanie magicznej więzi! Nie trzeba wcale czekać, aż legenda w prawdę się obróci. Sami możemy sprawić, żeby stała się rzeczywistością.

– Takie mikstury nie istnieją, a na północy wcale nie ma dzikich czarnych kotów. Wszystkie zniknęły – zaprotestował Finn.

– I tu się mylisz, mój zabawny przyjacielu! – odparła kobieta.

Zaraz potem uroczystym gestem otworzyła drewnianą klapę wózka, odsłaniając pstrokaty kram pełen butelek, ksiąg i przeróżnych kolorowych rupieci. Wśród nich znajdowała się mała klatka, z której z ciekawością wyjrzał czarny łebek. Zwierzątko popatrzyło na Abeke i zamiauczało żałośnie.

Meilin nie udało się ukryć pogardy, a kiedy się odezwała, w jej głosie nie było już ani śladu wstydliwości.

– To jest zwykły kot – powiedziała.

– To młoda czarna pantera – odparł zdecydowanie skalpownik.

– To jest całkiem dorosły, zwykły kot – upierała się dziewczyna.

– Jeszcze urośnie.

Meilin prychnęła i stwierdziła:

– Wygląda na wyrośniętego. Jak na zwykłego kota, oczywiście.

Kot stanął na tylnych nogach i przycisnął poduszki przednich łap do prętów klatki. Serce Abeke zabiło mocniej, a tatuaż z Urazą zaczął wibrować.

– To okrutne trzymać zwierzę w klatce – powiedziała nagle Abeke. – Powinniście je wypuścić.

– I stracić źródło utrzymania? – zapytał skalpownik. – Nie ma mowy.

– Możemy go od was kupić? – nie wytrzymała Abeke. – Niepotrzebna mi więź, chcę go tylko zatrzymać. To przecież zwykły kot.

Finn i Meilin wlepili w nią wzrok. To samo zrobili skalpownik i jego towarzyszka.

– Za co chcesz go kupić? – zapytał mężczyzna.

Abeke nie miała pieniędzy. Dotąd ich nie potrzebowała. Wszystko, co niezbędne podczas wyprawy, zabrała ze sobą z Zielonej Przystani. Wcześniej, w Nilo, też nie płaciła nigdy monetami, ponieważ dominował tam handel wymienny.

– Dam wam moją bransoletkę – powiedziała z wahaniem. – Spleciono ją z włosia z ogona słonia. Pochodzi z Nilo i przynosi szczęście.

– Och, Abeke, daj spokój – rzuciła z odrazą Meilin. – Przecież to zwykły kot.

Finn nic nie powiedział, tylko skrzyżował ramiona.

Abeke miała świadomość, że postępuje bardzo nierozsądnie. Nie potrafiła wytłumaczyć swojej nagłej sympatii do kota, a raczej kotki z klatki, ale to nowe uczucie przypominało trochę więź z Urazą.

– Zgoda, zgoda – odparł skalpownik po szybkiej naradzie z towarzyszką. – Kot za twoją bransoletkę przynoszącą szczęście. To uczciwa cena.

Abeke oddała mu bransoletkę. „Przepraszam, Soamo. Mam nadzieję, że mi wybaczysz" – westchnęła w duchu.

W chwili gdy brała kota na ręce, rękawy zsunęły jej się do łokci i przez moment tatuaż z Urazą był odsłonięty. Prędko strząsnęła rękawy. „Może nie zauważyli" – pomyślała. Lecz nagła zmiana wyrazu twarzy skalpownika uzmysłowiła Abeke, że jest przeciwnie.

– A więc masz zwierzoducha – powiedział mężczyzna, łapiąc ją za nadgarstek. Z jego głosu wyparowała cała przyjacielskość.

W jego ręce błyskawicznie pojawił się nóż, który dobitnie świadczył o zamiarach skalpownika.

Mężczyzna wycelował ostrze w Abeke.

– Wypuść swojego zwierzoducha albo poderżnę ci gardło – rozkazał.

Abeke wiedziała, że nie może oddać tym ludziom Urazy, ale nie miała pojęcia, co począć. Finn stał w bezruchu i jak zahipnotyzowany wbijał wzrok w szpic noża. Wyglądało to tak, jakby prawdziwy Finn gdzieś zniknął, pozostawiając na miejscu jedynie nieruchome ciało. Abeke nie rozumiała, co się z nim stało. Rozumiała za to doskonale, że bez pomocy Finna albo Urazy nie ma najmniejszych szans wygrać ze skalpownikiem.

Nagle zauważyła jakiś ruch. Mężczyzna uwolnił jej nadgarstek i zwalił się na ziemię, głośno wypuszczając powietrze z płuc. Nad skalpownikiem stanęła Meilin, celując sztychem noża w jego gardło. Wyglądała wspaniale i zarazem groźnie.

– Wystarczającą zniewagą było już to, że sprzedałeś nam bezpańskiego kota, ale twoje groźby przekraczają granicę impertynencji – powiedziała stanowczo. – Moja propozycja jest taka: oddaj jej bransoletkę, a ja w zamian nie poderżnę ci gardła.

Skalpowniczka się poruszyła, więc Meilin błyskawicznie podniosła drugą rękę i w rozbłysku błękitnego światła zjawiła się Jhi. Gumowaty i jego towarzyszka gapili się na pandę z szeroko rozdziawionymi ustami. Mały kot, którego Abeke trzymała w ramionach, przylgnął do jej szyi. Dziewczyna poczuła, że ostre pazurki zwierzęcia wczepiają się w jej koszulę.

– Oto prawdziwa legenda – warknęła Meilin, wskazując Jhi, która wśród szaro-zielonego krajobrazu wyglądała jak majestatyczna istota z jakiegoś innego świata. Wydawała się zbyt wspaniała, by mogła być prawdziwa. – Powróciło Czworo Poległych! Pokonamy Zdobywców i przyniesiemy światu pokój. Proponuję, żebyście zaczęli handlować czymś innym niż kłamstwa.

Zapadła absolutna cisza.

– Jhi – wyszeptała zdumiona kobieta.

Meilin wskazała gestem Abeke, która w zielonym rozbłysku uwolniła lamparcicę.

– Uraza... Niemożliwe...

Pokonany mężczyzna wyciągnął przed siebie bransoletkę. Finn odebrał mu ją bez słowa.

Meilin uśmiechnęła się drapieżnie do skalpowników.

– Powtórzcie innym: Wielkie Bestie wróciły.

Potem odwróciła się do Finna i Abeke.

– Na co czekamy? Mamy zadanie do wykonania.

7

TRUNSWICK

Conor dokładał wszelkich starań, żeby być dobrym partnerem dla swojego zwierzoducha. Czasami przychodziło mu to łatwo. Dorastał przecież wśród owczarków, a Briggan zachowywał się często podobnie do psa: lubił aportować albo bawić się w przeciąganie liny. Z tą różnicą, że za linę służyło im pnącze winorośli. Zawsze także pozwalał Conorowi iść przodem, żeby pokazać, że mu ufa.

Czasem jednak wilk wcale nie zachowywał się jak pies i wtedy Conor nigdy nie był pewien, czy w Brigganie górę bierze wilcza natura, czy też szczególna natura Wielkich Bestii. Na przykład owczarki zawsze ochoczo spały przytulone do Conora, natomiast Briggan nigdy nie kładł się tuż obok. Bez względu na temperaturę wyciągał się nie bliżej niż na metr od niego. Psy nie znosiły, kiedy ktoś patrzył im prosto w ślepia, a kiedy Conorowi zdarzało się pochwycić spojrzenie Briggana, ten patrzył mu w oczy tak długo, aż chłopak tracił całą swoją śmiałość i odwracał wzrok.

Poza tym Briggan wył do księżyca. Naprawdę to robił.

Conor spędził niejedną noc przerażony jazgotem wilczego stada, zastanawiając się, kiedy drapieżniki się zjawią i czy uda mu się obronić przed nimi owce. I czy uda mu się ocalić przed nimi siebie.

Nawet samemu sobie Connor nie przyznałby się do tego, że tak bardzo stara się być dobrym towarzyszem dla Briggana, żeby ukryć fakt, że nadal trochę się go boi.

– Nie ma jak w domu, co? – powiedział Rollan, osłaniając oczy przed słońcem.

Dotarli do Trunswicku. Nareszcie.

Pozostali członkowie ich drużyny nie pojawili się w wieży lady Evelin, więc Rollan z Conorem wyruszyli samotnie w podróż przez pola. Wędrowali już cały dzień, nerwowo reagując na każdy odgłos z obawy przed Zdobywcami i niebezpiecznymi zwierzętami, a także przed Zdobywcami z niebezpiecznymi zwierzętami. Późnym wieczorem zatrzymali się na nocleg. Przespali niespokojnie kilka godzin, podczas których Conora nawiedził niejasny sen o Rumfussie i dużym zającu, drzemiącym na kępie glicynii. Po przebudzeniu udali się w dalszą drogę i wkrótce przybyli do celu.

Przed nimi wznosiło się miasto: na wzgórzu stał zamek, a tuż pod nim tłoczyły się domy z piaskowca, kryte niebieskimi dachówkami. Niemal z każdego dachu zwisały intensywnie błękitne proporce i flagi, jak gdyby wywieszono je, żeby uroczyście powitać chłopców. Conor wiedział, że na każdej chorągwi widnieje podobizna Briggana, który był patronem Eury. Poczuł ciepły przypływ ulgi: podróż bez Tarika, czy choćby tylko Finna, była bardzo stresująca. Teraz jednak byli już w starym, dobrym Trunswicku, który znał jak własną kieszeń, i z pewnością wszystko musiało się jakoś ułożyć.

– A więc to jest Trunswick – odezwał się Rollan. – Stąd pochodzą twoje miłe wspomnienia o tym, jak to ojciec sprzedał cię na służbę?

Policzki Conora zaczerwieniły się i zapiekły.

– Nikt mnie nie sprzedał.

– No dobra, wypożyczył – poprawił się Rollan. – Oj, przestań się tym przejmować. Mój ojciec miał czelność umrzeć dawno temu, więc moim zdaniem i tak był gorszym rodzicem niż twój. Zaraz, zaraz. Wspominałeś coś o ciepłym powitaniu, o ile dobrze pamiętam? – Wskazał coś w oddali. – Czy miałeś na myśli pożar?

Rzeczywiście znad przeciwległego krańca miasta unosił się słup dymu.

Conor poczuł niepokój.

– Czasami rolnicy wypalają pola, żeby wyplenić osty i wrzosy – odpowiedział koledze. – Chodź, wejdziemy boczną bramą.

Trunswick był otoczony murem z takiego samego piaskowca co domy na podgrodziu. Do miasta prowadziło kilka niestrzeżonych bram. Brama główna zawsze była zatłoczona, więc Conor poprowadził Rollana w stronę prawie niewidocznej furty w pobliżu zamku. Zatrzymał się i uniósł głowę.

Nad bramą jak dawniej wisiały dwie niebieskie flagi. Jednak nie było na nich podobizny Briggana – jej miejsce zajmował wizerunek dzikiego czarnego kota. Zmiana ta była tak całkowicie nieoczekiwana i tak oburzająca, że nie od razu w pełni dotarła do umysłu Conora.

– Czy ja śnię? – zapytał niepewnie.

– Czy to podchwytliwe pytanie? – odparł Rollan.

Conor dorastał w cieniu herbu z szarym wilkiem na niebieskim tle. Wizerunek Briggana towarzyszył każdemu wydarzeniu państwowemu. Każda z rodzin miała figurkę wilka nad kominkiem lub podobiznę wyjącego wilka wyrzeźbioną na nadprożu. Briggan był symbolem Eury.

Teraz jednak nad bramą powiewała flaga z jakimś dzikim kotem.

To musiał być sen albo jakaś halucynacja...

Rollan zauważył wreszcie, że jego towarzysz wpatruje się intensywnie we flagę.

– T-to powinien być Briggan – wyjąkał z trudem Conor.

– Co? Ten kot? Moim zdaniem bardziej przypomina Urazę – odparł Rollan.

Choć dziki kot na proporcu był znacznie bardziej muskularny niż zwierzoduch Abeke, Conor dostrzegł w nim pewne podobieństwo do lamparcicy. Gdyby nie wiedział, że to niemożliwe, pomyślałby, że herb przedstawia dzikiego kota z opowieści, których słuchał w dzieciństwie. Każde dziecko w Eurze znało dobrze legendę o bohaterze, który wznieci powstanie razem ze swoim zwierzoduchem – czarnym kotem.

Jednak Trunswick nie potrzebował żadnych legend. Jego mieszkańcy mieli Briggana. Prawdziwego Briggana. Poległą Bestię, która wróciła.

Zanim Conor zdążył na głos wyrazić myśli, które kłębiły mu się w głowie, z bramy wypadł wielki mastif. Pies ujadał zaciekle i paskudnie się ślinił. Odgłos szczekania zadudnił chłopcom w uszach. Złowrogie ujadanie wywabiło na zewnątrz drugiego brytana. Conor wiedział, że nie były to zwykłe psy. Mastify Trunswicków miały złą sławę. Tresowano je do walki na śmierć i życie, przy czym groźne było nie tyle samo potężne ugryzienie, ile żelazny chwyt ich szczęk. Mastify szkolono tak, żeby ściskały zębami gardło ofiary do chwili wydania rozkazu przez któregoś ze strażników.

– Miej się na baczności – ostrzegł kolegę Conor.

– Nie przepadam za psami – wymamrotał Rollan, sięgając po sztylet wiszący u pasa.

Briggan położył uszy po sobie i podkulił ogon.

Mastify jednak tylko zaszły ich od tyłu i zmusiły do przejścia przez bramę. To nie był atak, tylko eskorta.

– To zwierzoduchy? – zapytał kolegę Conor.

– Prędzej zwierzopluchy – odparł Rollan, trzymając ręce poza zasięgiem śliniących się psich pysków. – Co jest grane? Opluwanie gości to u was jakiś zwyczaj?

Zanim Conor zdążył odpowiedzieć, zza bramy dobiegł ich krzyk strażnika:

– Hej, wy tam!

Mastify zmusiły chłopców, żeby stanęli blisko siebie.

Z odległości paru metrów Conor zauważył, że strażnik ma na sobie kolczugę i tunikę w błękicie Trunswicków, jednak podobnie jak i na proporcach, wizerunek Briggana został na niej zastąpiony podobizną czarnego kota.

Zza pleców wartownika wyszły trzy kolejne psy. Strażnik złapał rąbek płaszcza Conora i starł z niego zaschnięte błoto i kurz wędrówki, przez co odsłonił się pierwotny kolor ubrania.

– Zielone Płaszcze! – Pogarda w głosie strażnika zaskoczyła Conora tak samo jak wszystkie dotychczasowe zmiany widoczne w mieście. – Możecie albo pójść do lochu po dobroci, albo utrudniać sprawę i pójść po złości.

Conor nigdy by nie przypuszczał, że ten dzień może się tak skończyć.

– Nie złość się, bracie – rzucił do wartownika Rollan. – Nie zrobiliśmy nic złego.

– P-proszę... Nie jestem tu obcy – zająknął się oszołomiony Conor. – Byłem kiedyś służącym Devina Trunswicka. Mieszkałem tutaj.

Czuł się jak głupiec, jak niewydarzony pastuch, który nawet nie potrafi wytłumaczyć strażnikom celu swojego przybycia.

– Po dobroci albo po złości – powtórzył nieugięty wartownik.

Za jego plecami wyrosło kilkoro ludzi, najwyraźniej spodziewających się awantury.

Kiedy wartownik zrobił krok w stronę chłopców, Briggan zawarczał wściekle.

– Nie, Briggan – uspokoił go Conor. – Nie przybyliśmy tu po to, żeby walczyć.

Psów było pięć, Briggan był jeden i choć przewyższał każdego z mastifów, wystarczyłoby, żeby jeden z nich złapał go za gardło, i wilk stałby się bezbronny wobec ataków pozostałych.

Chłopak czuł, że Rollan wpatruje się w niego wyczekująco, jakby się spodziewał, że Conor znajdzie jakieś rozwiązanie. W końcu byli w jego rodzinnym mieście. Jednak Conor nie poznawał Trunswicku. Nie poznawał zwierzęcia na flagach i proporcach, nie poznawał strażnika, tłumu dziwnie żądnego krwi ani mastifów.

– Co to za zamieszanie? – rozległ się znajomy głos.

Ludzie i zwierzęta zgromadzeni w bramie rozstąpili się, żeby zrobić przejście. Pierwszy szedł wielki kot o złotych oczach i jedwabistej, czarnej jak atrament sierści z jeszcze ciemniejszymi plamkami widocznymi pod słońce.

Czarna pantera.

Zwierzę zbliżało się majestatycznie z wyrazem okrucieństwa w oczach, a za nim szedł jakiś chłopak.

Devin Trunswick.

Był jeszcze bardziej wyniosły niż dawnej. Miał na sobie wytworne szaty. Jego postawa i wygląd oznajmiały wszem i wobec, że oto nadchodzi syn lorda.

Conor poczuł się nagle bardzo głupio, bo sądził, że powrót Briggana mógłby cokolwiek między nimi zmienić.

„To idiotyczne – myślał teraz. – Nadal jestem synem pasterza, a on nadal jest szlachcicem. Nigdy nie będziemy sobie równi".

Devin dostrzegł Conora i wbił w niego wzrok. Wydawał się myśleć dokładnie to samo. Wyciągnął rękę przed siebie i pantera natychmiast znikła – stała się tatuażem na jego ramieniu.

Conor wciągnął głośno powietrze.

Niemożliwe. To było po prostu niemożliwe. Przecież był razem z Devinem podczas Ceremonii Nektaru i pamiętał, że syn earla nie przyzwał wówczas zwierzoducha. Conor stał wtedy tuż obok, wystarczająco blisko, żeby dostrzec ogromne rozczarowanie malujące się na twarzy Devina.

Matka Conora ani słowem nie wspominała w liście o zmianach, które zaszły w Trunswicku. Chłopak poczuł, że jego serce zaczęło bić szybciej. „Gdzie jest moja matka?" – zaniepokoił się.

– Devin! – zawołał, próbując ukryć zaskoczenie. – To ja, Conor!

– Widzę – odparł wyniośle Devin.

Kiedy zwrócił się do strażników, jego głos był zimny i władczy.

– Na co czekacie? Brać ich!

Rollan chwycił Conora za łokieć i pociągnął go za sobą do tyłu. Jeden ze strażników spróbował złapać Conora, ale chłopak mu się wymknął. Briggan kłapnął zębami ostrzegawczo w stronę mastifów. Choć psy były od niego silniejsze, biegały wolniej, poza tym nie było żadnego powodu, żeby z nimi walczyć.

Conor zrozumiał, że w Trunswicku nie mają czego szukać. Znał ulice i zaułki miasta, więc istniała szansa, że uda mu się wyratować Rollana i Briggana z opresji.

Skręcił w jedną z uliczek. Biegnący za nim Briggan wskoczył na stertę drewnianych skrzyń, a jego potężne tylne łapy zwaliły stos na ścigających. W górze krążyła Essix. Jej cień to kurczył się, to rósł, w zależności od tego, czy sokolica przelatywała pod sznurkami z suszącym się praniem, czy nad dachami domów.

– Prędko, Zielone Płaszcze! Uciekajcie! – zawołała z okna jakaś dziewczyna.

Conor ledwie miał czas na nią zerknąć, a już matka dziewczyny wciągnęła ją do środka i zatrzasnęła okiennice. Wyglądała na przestraszoną.

W budynkach przed nimi otwierały się kolejne okna. Jakiś chłopak z dziewczyną pomachali do Conora, a gdy uciekinierzy minęli ich dom, wylali na ulicę wiadra wrzącej wody. W wąskim przejściu buchnęła para, a strażnicy ścigający chłopców wrzasnęli z bólu.

Dzieci z Trunswicku pomagały Rollanowi i Conorowi w ucieczce. Conorowi brakowało powietrza, żeby im podziękować. Odmachał im tylko w nadziei, że zrozumieją.

– Zapamiętam to sobie! – zaryczał w stronę okien jeden ze strażników, zakrywając dłonią poparzoną twarz.

Conor i Rollan zostawili pogoń za sobą, a mimo to nie zwalniali. Conor pamiętał, że niedaleko stąd w murze jest dziura. Gdyby udało im się tam dotrzeć, wydostaliby się z Trunswicku i uciekli przez wrzosowiska.

Kiedy jednak pędzili boczną uliczką, z cienia wyłoniła się nagle wielka jaszczurka, dorównująca długością Brigganowi. Pysk i pazurzaste łapy miała czarne, ale resztę jej gruzłowatej skóry zdobił pomarańczowo-czarny wzór. Wygląd nie pozostawiał żadnej wątpliwości: gad był jadowity. I syczał jak stwór z jakiegoś sennego koszmaru.

Conor rzucił się w przeciwnym kierunku. Usłyszał za sobą warknięcia i okrzyki, ale nie widział ani Briggana, ani Rollana. Wydawało mu się, że nie ma żadnej drogi ucieczki. Osaczyli go nieprzyjaciele – starsza od niego dziewczyna z żabą na rękach, druga z wielkim jaszczurem i Devin. Devin z okrutnym uśmiechem na ustach.

Conor odwrócił się na pięcie i stanął jak wryty. Na drodze pojawił się ktoś jeszcze: wysoki, ciemnoskóry chłopak ze zwierzoduchem – długonogim ptakiem o dużej, bocianiej głowie. Ptak był wzrostu człowieka i patrzył Conorowi prosto w oczy.

Conor poczuł lodowaty strach, włoski zjeżyły mu się na ramionach, jakby tuż obok uderzyła błyskawica.

– Sugerowałbym poddanie się – powiedział ciemnoskóry. – Mój ptak nie grzeszy cierpliwością.

– Poza tym – odezwała się dziewczyna z żabą – złapaliśmy twojego zwierzoducha.

Rzeczywiście mastify powaliły Briggana i przyciskały go do ziemi. Serce Conora zamarło na widok szczęk jednego z brytanów luźno zaciśniętych na gardle wilka.

W niebieskich oczach Briggana widać było niezłomność, ale nie miał wyboru: musiał się podporządkować silniejszym przeciwnikom.

– Pochwyciliśmy również tego tu – oznajmił pogardliwie Devin, wskazując Rollana, który rzucał się i wierzgał w rękach strażników. – Jego płaszcz wydaje się nieco mniej zielony niż twój.

U boku młodego Trunswicka stał wysoki, przystojny mężczyzna w bogato wyszywanej pelerynie, który przyglądał się zamieszaniu z uśmiechem pełnym aprobaty.

– Dwie małe świnki – zażartował. – I jeden nie taki wielki, nie taki zły wilk.

Rollan rzucił mu wściekłe spojrzenie i splunął. Na mężczyźnie nie zrobiło to żadnego wrażenia. Co więcej, wzburzenie Rollana sprawiało mu radość.

– Miałeś szansę stanąć po właściwej stronie. Obaj chyba rozumiemy, że dokonałeś złego wyboru.

Mężczyzna najwyraźniej znał Rollana, ale Conor, choć był przekonany, że już kiedyś widział tego człowieka, nie potrafił stwierdzić, skąd go pamięta. Z zamku? Czyżby był strażnikiem...?

Nie.

Wrócił myślami do pasma górskiego w Amayi, gdzie ich przyjaciel i sprzymierzeniec Barlow zginął od ciosu nożem w plecy, gdy ratował życie Abeke.

Zerif. Zdobywca.

„Sami weszliśmy w ręce wroga – pomyślał ponuro Conor, przeklinając w duchu swoją naiwność. – Wszystko dlatego, że chciałem wrócić do Trunswicku. I po co? To nie jest mój dom. Miasto zawsze było pułapką. A teraz znowu tu jestem. Znowu w potrzasku... I do tego z własnej woli". Nie potrafiłby przekazać Rollanowi, jak bardzo było mu przykro.

Nagle tłum się rozstąpił, żeby zrobić przejście dla earla Trunswicku. Władca wyglądał jak starsza wersja Devina, a jedyną różnicę stanowiła jego szpiczasta, równo przystrzyżona broda. Zmierzył pojmanych chłopców zimnym spojrzeniem.

– Zabrać ich do Wyjącego Domu. Później postanowimy, co z nimi zrobić – rozkazał, po czym zwrócił się szorstko do Rollana i Conora: – A wy natychmiast uśpijcie swoje zwierzoduchy.

– Właśnie – przytaknął Devin. – Szkoda by było, gdybyśmy musieli zrobić krzywdę Wielkiej Bestii. – Jego paskudny uśmiech dowodził, że ta myśl wcale nie wydawała mu się taka zła.

– Zaraz – warknął Rollan. – Za co chcecie nas uwięzić?

– Nie zrobiliśmy nic złego – dodał Conor. Bezskutecznie starał się dojrzeć na twarzy władcy choćby ślad zrozumienia. – Dobrze wiecie, że nie jestem tu obcy.

Earl poświęcił mu ledwie jedno krótkie spojrzenie. Było oczywiste, że ani Rollana, ani Conora nie uznał za wartych uwagi. To nie byli godni go przeciwnicy.

– Kolor twojego płaszcza jest wystarczającym powodem, by wtrącić cię do lochu. Trunswick ma dość tyranii Zielonych Płaszczy, dość ich gadaniny o przeznaczeniu

Erdas. Erdas... Przeznaczenie... – Leniwym ruchem wskazał flagę z wizerunkiem dzikiego kota. – Też mi coś! Trunswick wybierze własne przeznaczenie.

– Panie, przybyliśmy tu tylko po to... – próbował protestować Rollan.

Earl uciszył go gestem, jakby chłopiec był tylko natrętną muchą.

– Bądź cicho, proszę. Nie będę dłużej tolerował gadaniny kogoś takiego jak ty.

„Takiego jak ty" – powtórzył w myślach Conor. Głos earla aż ociekał pogardą i lekceważeniem.

Conor poczuł się tak, jakby został spoliczkowany. Chciał się zapaść pod ziemię. Rumieńce paliły mu twarz, a serce waliło w piersi jak bęben.

Devin bardzo starał się ukryć satysfakcję. Zerif kiwał głową z aprobatą, jakby się cieszył, że earl wreszcie przestał pozwalać, żeby pomiatali nim członkowie znienawidzonej organizacji.

Władca zwrócił się do jednego ze strażników:

– Jeżeli chłopak nie uśpi swojego wilka, każ psom go zagryźć i spal jego ciało razem ze zwłokami pozostałych zwierzoduchów.

Rollan otworzył szeroko oczy, a jego pewność siebie ulotniła się w jednej chwili.

Conor bez słowa wyciągnął rękę w stronę Briggana unieruchomionego przez mastify. Wilk momentalnie zniknął i stał się tatuażem na ramieniu chłopca. Rollan nie miał tyle szczęścia. Przyzywał Essix coraz bardziej natarczywie, mimo to sokolica zataczała w powietrzu coraz szersze kręgi. Co jakiś czas spoglądała w dół, więc było jasne, że słyszy wzywanie, jednak nie zamierza być posłuszna.

Devin i dziewczyna z żabą zaśmiali się piskliwie. Zerif ziewnął ostentacyjnie, a po chwili na jego ustach pojawił się kpiący uśmieszek.

Za plecami tej trójki Conor dostrzegł Dawsona, młodszego brata Devina. Chłopak unikał jego wzroku. Był jedyną przyzwoitą osobą w swojej rodzinie i trudno było sobie wyobrazić, żeby żałosna scena, której był świadkiem, sprawiała mu radość. Był jednak zbyt młody, żeby mógł cokolwiek zrobić.

– Więź chłopaka jest za słaba – stwierdził earl. – Jego ptak nie będzie więc stanowił dla nas zagrożenia. Zostawcie go, a resztę trzymajcie pod kluczem.

– Witaj w domu, pastuchu – syknął Devin do Conora.

8

WYJĄCY DOM

Odnalezienie Meilin, Abeke i Finna nie zabrało Essix dużo czasu. Troje wędrowców wspinało się właśnie na trawiaste wzgórze, z którego rozciągał się widok na Trunswick, gdy Finn dostrzegł sokolicę krążącą po niebie. Zamachał jedną ręką, potem obiema. Kiedy chwilę później także Abeke i Meilin zaczęły dawać Essix znaki, ta zniżyła lot i skierowała się w ich stronę.

– Czy to znaczy, że Rollanowi coś się stało? – zapytała Meilin. Na samą myśl o tym, że Rollan wpakował się w jakieś tarapaty, poczuła irytację. Sama chętnie sprawiłaby mu lanie.

– Gdyby nie żył, Essix byłaby znacznie bardziej niespokojna – odparł Finn.

Abeke aż drgnęła. Za to Meilin doceniała to, że Finn niczego przed nimi nie ukrywał. Ich życie było w niebezpieczeństwie i powinni o tym ciągle pamiętać.

Finn przesłonił oczy, żeby lepiej widzieć sokolicę.

– Wydaje się niespokojna. Trudno powiedzieć, czy to Rollan ją przysłał, czy też przyleciała z własnej woli. Widzicie, czy ma wiadomość przywiązaną do nogi?

– Nie, nie ma – stwierdziła Meilin.

– Czy chłopcy są w Trunswicku?! – zawołał Finn do Essix, a ta zaskrzeczała trzykrotnie w odpowiedzi.

– To chyba oznacza „tak" – uznała Meilin.

– Czy powinniśmy się tam z nimi spotkać?! – zapytał znów zwiadowca.

Essix odpowiedziała mu pojedynczym skrzeknięciem, groźnym i przeszywającym. Można to było zrozumieć tylko jako stanowcze i złowrogie „nie".

– Prawdopodobnie ich uwięziono – Finn podzielił się z dziewczynami swoim przypuszczeniem. – Albo z jakichś względów chcą pozostać w ukryciu. Jakkolwiek by było, musimy zachować ostrożność.

Meilin rozważyła sytuację. Dotknęła tatuażu uśpionej Jhi. Jednak jasność umysłu, jakiej doznała, nie mogła się równać ze stanem, który panda pomogła jej osiągnąć podczas medytacji.

– Może zatoczymy krąg wokół miasta i spróbujemy się czegoś dowiedzieć, zanim zdecydujemy co dalej? – zaproponowała Meilin.

Finn pokiwał głową.

– To chyba dobry pomysł. Nie powinienem zjawiać się w Trunswicku bez planu. Tamtejszy earl i ja jakiś czas temu mieliśmy małe nieporozumienie.

– Jakie nieporozumienie? – chciała wiedzieć Meilin.

– Próbował mnie zabić – odparł Finn, spoglądając na zamek spod przymrużonych powiek.

Tak, trudno o lepszy powód, żeby unikać tego miasta.

– Tak czy inaczej, potrzebujemy planu działania.

Abeke westchnęła, cicho i boleśnie. W pierwszej chwili Meilin pomyślała, że to ze zmartwienia, ale zaraz się zorientowała, że chodziło o coś innego. Głupiutka kotka skalpowników najwyraźniej sądziła, że Essix zamierza ją pożreć. W panice wczepiła pazury we włosy Abeke. Wyglądało to tak, jakby dziewczyna upięła sobie na głowie wielki czarny kok.

– Mogłabyś już ją wypuścić – zadrwiła Meilin. – Chciałaś ją uwolnić, to uwolnij.

Abeke usiłował zdjąć sobie kotkę z głowy, podczas gdy zwierzątko robiło wszystko, żeby jej to uniemożliwić.

– Ona się boi – tłumaczyła Abeke, próbując oderwać kotkę lekkimi szarpnięciami. Ta jednak tylko miauczała w rytmie kolejnych pociągnięć. – Nie martw się, nie będzie opóźniała naszego marszu.

Meilin przymrużyła oczy, ale nie chciała się spierać z Abeke, która pod wpływem Urazy zaczęła nabierać kocich cech. Może właśnie z tego powodu ujęła się za kotką.

– Zgoda. Niech tak będzie. Conor, Rollan i Tarik nas potrzebują, bez względu na to, czy znaleźli się w kłopotach, czy nie. Im szybciej się czegoś dowiemy i im szybciej uda nam się z nimi spotkać, tym szybciej będziemy mogli odnaleźć Rumfussa. A teraz chodźmy już. Chyba że chcesz, żeby złapali nas Zdobywcy.

Sugestia, że Abeke nadal jest po stronie wroga i dlatego mogłaby nie mieć nic przeciwko dostaniu się w ręce Zdobywców, wyrwała się z ust Meilin, zanim ta pomyślała. Finn zmierzył dziewczynę surowym spojrzeniem. Tarik lub Olvan prawdopodobnie zbeształiby ją za podobne słowa, ale pewnie potrafiliby również zrozumieć, dlaczego w głębi duszy Meilin nadal nie ufała Abeke. A naprawdę trudno było być miłym dla kogoś, kogo nie darzy się zaufaniem. Zwłaszcza teraz.

Finn odwrócił się i szepnął coś, co mogła dosłyszeć tylko Meilin:

– Zaufanie należy ćwiczyć.

Meilin już miała przewrócić oczami i zignorować tę uwagę, ale jego słowa w połączeniu z dezaprobatą sprawiły jej przykrość. Zaczęło jej zależeć na tym, żeby Finn miał o niej dobre zdanie. Sama nie rozumiała, dlaczego stara się o szacunek człowieka, który podczas potyczki w lesie nawet nie dobył miecza, żeby się bronić. Z drugiej strony to Finn przeprowadził je bezpiecznie przez Szachownicę Olbrzyma, potem przez wrzosowisko, a na koniec wyciągnął Meilin z bagna. Bez jego rad w Księżycowej Wieży nigdy by nie odkryła, że Jhi może ją wspomagać w rozwiązywaniu zawiłych problemów.

„Co decyduje o tym, że jest się wojownikiem? – zastanawiała się Meilin. – Czy każdy wojownik nosi miecz?"

– Abeke – powiedziała niechętnie – przepraszam, jeśli moje słowa wydały ci się niesprawiedliwe. Nie chciałam być niemiła.

Abeke aż uniosła brwi ze zdziwienia. Była komplet-
nie zaskoczona tą odrobiną okazanej jej życzliwości. Jej
reakcja kazała Meilin zastanowić się, czy w ciągu ostatnich dni nie zachowywała się wobec koleżanki zbyt nieprzyjemnie. To, że zdarzało jej się wątpić w lojalność
Abeke, wcale nie musiało oznaczać, że musiała być dla
niej okrutna.

Finn obejrzał się przez ramię. Nie powiedział ani słowa. Skinął tylko głową, a wtedy Meilin zrobiło się lżej
na sercu.

Wspięli się na wzgórze i zeszli w dół, w stronę Trunswicku. Trzymali się na tyle daleko od miasta, żeby nie
przyciągnąć uwagi strażników. Meilin starała się wy-
wnioskować na podstawie wyglądu zabudowań, z jakim
miejscem ma do czynienia i co mogą wewnątrz robić ich
towarzysze. Zabudowania miasta były proste: na wzgórzu
stał zamek, wokół którego były skupione inne budynki.
Miasto zalatywało woskiem, dymem, węglem i tym szcze-
gólnym zapachem końskich kopyt, co pozwoliło Meilin
się domyślić, że kowalstwo jest tu popularnym zajęciem.
Z każdego niemal dachu zwisały flagi, lekko powiewając
na wietrze. Wykonane były z niebieskiej wełny, nie zaś
z jedwabiu albo lnu, do czego Meilin przywykła od dzieciństwa. W porównaniu do miast Zhong, Trunswick wydawał się prymitywny i brudny.

Na wspomnienie ojczyzny Meilin poczuła w sercu tę-
sknotę, ale zdusiła ją w sobie. Nie miała czasu na słabość
lub rozmyślania nad raz podjętą decyzją.

– Oto i Trunswick – powiedział Finn. Jego głos zabrzmiał głucho i pusto. Twarz zwiadowcy była bez wyrazu, jak wtedy, gdy na wrzosowisku skalpownik wyciągnął nóż przeciwko Abeke.

– Co to jest? O, tam? – zapytała Meilin, wskazując połać nieba pociemniałą od dymu.

Abeke uniosła podbródek, żeby powąchać dym.

– Chyba ognisko – stwierdziła. – Ale palą nie tylko drewno. Czujecie to?

Abeke miała rację. Zapach ogniska był przemieszany z nieprzyjemną wonią, budzącą niepokój.

„Zhong w ogniu..." – W głowie Meilin pojawiło się kolejne wspomnienie, lecz i tę myśl natychmiast odpędziła.

Jej zadumę przerwał Finn.

– Nie wygląda mi to na dobry znak.

– Finn... Essix chyba próbuje nam coś powiedzieć – zauważyła Abeke.

Dziewczyna odwróciła się w stronę Trunswicku. Chciała wskazać sokolicę kołującą nad okazałym budynkiem stojącym w połowie wzgórza, a że w rękach trzymała kota, podniosła go wysoko.

– Myślisz, że tam są nasi? – spytała.

– To byłby prawdziwy pech – odparł Finn. – To Wyjący Dom. Trzymają tam zwierzęta i ludzi, którzy nawiązali więź bez Nektaru i zapadli na chorobę więzi. Właściwie na pewną szczególną jej odmianę. To miejsce dla tych, którzy oszaleli. Po części szpital, po części natomiast więzienie.

Meilin powtórzyła w myśli jego słowa: „miejsce dla tych, którzy oszaleli". Oczywiście słyszała o chorobie więzi. Wszyscy wiedzieli o niebezpieczeństwach, jakie niosło ze sobą tworzenie więzi bez Nektaru. W czasach przed pojawieniem się Nektaru niektóre więzi rozwijały się dobrze, a inne nie. Bywało, że ludzie i zwierzęta nawiązywali więź, ale nie potrafili się porozumieć. Nie mogli wtedy zaznać spokoju. Niektórzy radzili sobie sami, uczyli się żyć z taką trudną więzią. Inni jednak, jak powiedział Finn, nie wytrzymywali tej sytuacji i tracili rozum.

Dlatego nawet w najbardziej odludnych wsiach w Zhong była osoba odpowiedzialna za powiadamianie Zielonych Płaszczy o tym, że któreś z dzieci osiągnęło właściwy wiek. Dziś trudno było sobie wyobrazić więź powstałą bez Nektaru, a jeszcze trudniej zrozumieć konieczność zbudowania dużego więzienia dla ludzi obłąkanych z tego powodu.

– Myślisz, że właśnie tam ich przetrzymują? – zapytała Finna Meilin.

– To z całą pewnością jedyne miejsce, w którym można by zamknąć ich wraz ze zwierzoduchami. Cały budynek ma wzmocnienia uniemożliwiające zwierzoduchom ucieczkę – odparł zwiadowca.

– Skąd tyle wiesz o tym miejscu? – zdziwiła się Meilin, gdy usłyszała jego wyjaśnienia.

Finn nie odpowiedział. Znów zamilkł i odbiegł myślami gdzieś daleko. Nagle dziewczyna przypomniała sobie jego słowa z Księżycowej Wieży. Jego więź z Donnem powstała bez Nektaru. To była trudna więź. Czyżby wystarczająco trudna, żeby wymagała zamknięcia w domu dla obłąkanych ludzi i zwierząt, należącym do earla Trunswicku? Wystarczająco trudna, żeby earl Trunswicku próbował zabić Finna?

– Co dalej? – chciała wiedzieć Abeke.

Cała trójka spojrzała na słońce, które wisiało wysoko nad horyzontem.

– Czekamy – powiedział Finn.

Wyciągnął rękę w górę, a wtedy Essix gładko sfrunęła z nieba, żeby ciężko opaść na jego przedramię. Abeke usiadła na ziemi, otworzyła torbę i zaczęła przeżuwać suszone mięso.

Najwyraźniej dla Finna, Abeke i Essix czekanie nie stanowiło problemu.

Meilin nienawidziła czekać najbardziej na świecie.

⸺ ◆ ⸺

Po zmroku w Trunswicku zapadła cisza. Wraz z nadejściem nocy Abeke, Meilin i Finn zakradli się bliżej murów miejskich. W przeciwieństwie do miast Zhong, jasno oświetlonych i urokliwych nawet nocą, w Trunswicku było niemal równie ciemno, co na okolicznych wrzosowiskach. Jedynie główną ulicę, wiodącą do zamku, oświetlało kilka latarni. W żadnym oknie nie było widać choćby jednej świecy, z gospód nie dobiegał gwar rozmów, a po mrocznych uliczkach nie kręcili się spóźnieni przechodnie. Nawet kowale z Trunswicku, słynący ze swej przedsiębiorczości, opuścili kuźnie, pozostawiając wygasające węgle. U każdej z bram stali czujni, milczący strażnicy.

– Coś tu jest nie tak – szepnął Finn.

Cała trójka przykucnęła przy murze z dala od bram, żeby nikt ich nie dostrzegł. Szukali innego sposobu dostania się do miasta, bo wejście przez którąś z pilnowanych furt nie wchodziło w grę.

– Poszukaj jakieś wyrwy w murze – poprosiła Urazę Abeke.

Lamparcica pobiegła w noc, trzymając się nisko. Wróciła po kilku minutach, żeby zaprowadzić ich do zamurowanej bramy. Plomba z cegieł była częściowo zawalona, widniał w niej otwór na tyle duży, że mogła się przez niego przecisnąć dorosła osoba.

Meilin uśpiła Jhi – dziura była zbyt wąska, żeby przeszła przez nią olbrzymia panda.

Gdy przedostali się za mury, cisza panująca w mieście wydała im się jeszcze bardziej przenikliwa. Każdy ich krok odbijał się echem.

Finn prowadził wąskimi ulicami w stronę Wyjącego Domu. Uraza szła z tyłu, czujnie obracając uszami i nasłuchując zagrożenia. Co jakiś czas nad ich głowami przelatywała Essix. Przysiadywała na kolejnych dachach, żeby ich upewnić, że idą w dobrym kierunku.

W Wyjącym Domu płonęły pochodnie, ich roztańczone refleksy odbijały się w kałużach powstałych po wczorajszym deszczu. Przed budynkiem nieustannie kręcili się strażnicy. W wejściu leżały co najmniej trzy wielkie mastify. W porównaniu z jakby wymarłym miastem, Wyjący Dom wprost tętnił życiem.

– Nasza misja wydaje się niewykonalna – szepnęła Meilin do Finna.

– Cierpliwości – odparł zwiadowca.

Cierpliwość nie była ulubioną cechą Meilin.

Abeke przywołała cicho Urazę i obie tanecznym krokiem zanurzyły się w mrok, poszukując bezpiecznej, pustej ścieżki wiodącej wokół ufortyfikowanego budynku. Lamparcica poprowadziła grupę do opustoszałej kuźni, która doskonale nadawała się na kryjówkę. Budynek stał po przeciwnej stronie wąskiej drogi, przy której znajdował się Wyjący Dom. Wewnątrz pełno było przedmiotów oraz narzędzi typowych dla kowalskiego fachu: kowadło, piec i stojaki na drewno, gięte z żelaznych prętów. Oprócz tego pomieszczenie było zagracone różnymi sprzętami stolarskimi i rolniczymi.

Abeke skryła się za na wpół ukończonym kredensem, Finn przykucnął za dużą broną, a Meilin znalazła sobie miejsce obok ciepłego jeszcze pieca. Kuźnia była wyższa niż inne budynki wokół Wyjącego Domu, więc mogli dojrzeć przez okno, co się w nim dzieje. Przez jedno z nielicznych okien więzienia dla obłąkanych widać było pomieszczenie, w którym znajdowało się pięć osób: przystojny, elegancki mężczyzna, w którego wyglądzie było coś odstręczającego, i czworo dzieci. Wszyscy spożywali obfity posiłek.

Tego bogato odzianego człowieka o równo przystrzyżonej bródce Meilin po raz ostatni widziała podczas bitwy o talizman Araxa. Pamiętała, że atakował nożem jednego z jej sprzymierzeńców. Na sam jego widok ścisnęło ją w gardle. Z ledwością udało jej się opanować impuls, który nakazywał jej skoczyć i zaatakować bez ostrzeżenia.

– To Zerif – warknęły jednocześnie Meilin i Abeke.

Ich głosy zabrzmiały tak samo chropawo i szorstko, co było dla Meilin zaskakujące. Dziewczyna nadal nie ufała Abeke, jednak jej reakcja na widok Zerifa wydawała się szczera. Słysząc wrogi ton głosu Abeke, Uraza zamachała nerwowo ogonem.

– Zostanę tu na straży – powiedział Finn. – A wy podkradnijcie się bliżej i spróbujcie podsłuchać, o czym rozmawiają.

Abeke oddała Finnowi czarną kotkę, a Meilin pokręciła głową z rozdrażnieniem.

– Co ty właściwie zamierzasz z nią zrobić? – zapytała drwiąco. – Chcesz nią rzucić w Rumfussa?

Abeke uśmiechnęła się tylko, chłodno i po kociemu. Potem w ślad za Meilin ruszyła ostrożnie w stronę okna Wyjącego Domu.

Rozbrzmiewające wewnątrz głosy były stłumione, ale słyszalne.

– Nie bądźcie niemądrzy – powiedział Zerif pomiędzy kęsami wieczerzy.

Patrząc, jak mężczyzna je, Meilin poczuła obrzydzenie. Nie dlatego, że Zerif jadł nieelegancko, lecz dlatego, że uważnie wkładał każdy kęs do ust, a następnie dokładnie wycierał wargi. „Jak on śmie jak gdyby nigdy nic zasiadać do kolacji, podczas gdy na świecie dzieje się tyle zła! Jak śmie bezczelnie wycierać sobie usta, jakby jego dobre maniery miały jeszcze jakiekolwiek znaczenie!"

– Kiedy będzie po wszystkim, nikogo nie będzie obchodził los Wielkich Bestii – ciągnął Zerif. – Czy ktoś z mieszkańców chociaż odrobinę przejął się dziś losem Briggana? Wszyscy patrzyli tylko na Eldę.

Devin puszył się z dumy, podziwiając swój tatuaż z dzikim kotem.

– Poza nią nie pragną niczego więcej – dodał.

– I to właśnie próbuję wam wytłumaczyć, drogie dzieci – powiedział Zerif. Starsza dziewczyna, blondynka z żabą płaskogłową, obruszyła się na słowo „dzieci". – Od dziesięcioleci Zielone Płaszcze mamią ludzi opowieściami o Wielkich Bestiach Erdas. Uzależniając każdą wieś na świecie od Nektaru, odebrali krajom dostęp do mocy, które już posiadają. Briggan nie służy nikomu prócz samego siebie! Ale ty, Devinie, służysz Eurze wraz z jej czarnym kotem. Ty, Tahlio, służysz swojemu ludowi z Tiddalik, swoją ukochaną żabą ze Stetriolu. Ana służy ze wspaniałą helodermą z Amayi, straszliwą Ix. No i oczywiście ty, Karmo, wraz z impundulu, ptakiem przywołującym błyskawice. Od jak dawna wasze ludy czekały na chwilę, gdy Wielkie Bestie wyzwolą je od trudu i znoju? Teraz nie muszą już czekać na lepszą przyszłość. My tworzymy przyszłość.

Devin pokiwał entuzjastycznie głową, a Meilin wściekała się w milczeniu.

– Jak długo jeszcze będziemy musieli znosić takich jak tamci? – chciał wiedzieć Karmo, skinieniem głowy wskazując wnętrze budynku. Chłopak był przystojny, ciemnoskóry, wzrostem dorównywał Zerifowi. – Tracimy czas, walcząc z Zielonymi Płaszczami, zamiast pomagać naszym krajom.

„Takich jak tamci..." – Meilin była pewna, że Karmo miał na myśli Rollana, Conora i Tarika.

– Gdy zdobędziemy wszystkie talizmany, organizacja Zielonych Płaszczy nie będzie mogła się nam dłużej przeciwstawiać – powiedział Zerif. Jego uwagę przyciągnęło własne odbicie w łyżce, które przez moment podziwiał.

Tahlia wyglądała na poirytowaną.

– Jak możesz być tego pewien? Czworo dzieci z Wielkimi Bestiami poszukuje w tej chwili dokładnie tego samego co my.

– Dwoje – poprawił z wrednym uśmieszkiem Devin. – Ci dwaj, których złapaliśmy, już nam nie umkną. Mój ojciec kazał zbudować Wyjący Dom tak, żeby było więzieniem, z którego nie ma ucieczki.

Abeke i Meilin wymieniły spojrzenia. Dwaj? Kogoś brakowało...

– Jesteście wybrańcami – podkreślił Zerif. – Cztery Wielkie Bestie zostały przyzwane przypadkowo, przez niegodnych tego zaszczytu, o czym przekonaliście się dzisiaj sami. Wy natomiast zostaliście wybrani, żeby stać się bohaterami. Czy to ze względu na doskonałe pochodzenie – tu uśmiechnął się do Devina. – Wyjątkową inteligencję – łyżką wskazał Tahlię. – Rozległe koneksje – powiedział do dziewczyny z wielką jaszczurką. – Czy horrendalną siłę – zwrócił się do Karmo.

Wokół stołu zapadła cisza. Prawdopodobnie dlatego, że nikt ze zgromadzonych, nie wyłączając Zerifa, nie wiedział, co oznacza słowo „horrendalna".

– Dzięki Żółci – ciągnął Zerif – odpowiedni kandydaci staną się wspaniałymi bohaterami. Żółć tworzy więzi nawet wówczas, gdy Nektar zawiedzie. W dodatku są to więzi doskonalsze, bo człowiek ma nad nimi całkowitą kontrolę! To my wybieramy zwierzę! Żaden stronnik Króla Jaszczurów nie musi się obawiać więzi z myszą polną! Niech żyje Król Jaszczurów!

Znowu zapadła cisza. Znudzenie malujące się na twarzach dzieci wskazywało na to, że nie pierwszy raz słyszą podobną przemowę.

Zerif tymczasem odchrząknął, odsunął od siebie talerz i wyjął płachtę pergaminu.

– Oto mapa, którą odebraliśmy tym dwóm włóczęgom. Devinie, ty i Karmo z jej pomocą wyśledzicie pozostałą dwójkę. Zdobądźcie talizman. Wtedy was odnajdę.

– Nie idziesz z nami? – zapytał niepewnie Karmo.

– Karmo... – Zerif westchnął, wstał i objął chłopaka ramieniem. – Karmo, Karmo, Karmo... Zakończyliście pierwszy etap szkolenia i nadeszła pora, żeby Tahlia wróciła do Stetriolu, Ana zaś do Amayi, gdzie każda będzie mogła zainspirować swój lud. Devin pozostanie tutaj, w Eurze, gdzie jego wpływy są największe. Ty zaś, jak rozmawialiśmy, możesz przed bohaterskim powrotem do domu dokonać w imieniu Nilo jeszcze jednego wielkiego dzieła. Jest was dwóch, ich również jest dwójka. Chyba wszyscy się zgadzacie, że Elda i ptak impundulu są w stanie pokonać Jhi. Nawet gdyby pomagała jej Uraza.

Meilin zgrzytnęła zębami. Nie było sensu dalej podsłuchiwać, więc lekko klepnęła Abeke w ramię, dając jej znak odwrotu.

– To z całą pewnością Zdobywcy, wybrani przez samego Zerifa – relacjonowała Finnowi w kuźni. – Zerif mówił, że mają jakiś rodzaj Nektaru, który wymusza powstanie więzi. Złapali też Rollana i Conora. Trzymają ich tu, w Wyjącym Domu.

Twarz Finna sposępniała.

– Do Zielonej Przystani docierały plotki... Nie mamy czasu do stracenia. Musimy ich uwolnić. Potrzebne nam coś, co odwróci uwagę Zdobywców. Dywersja. Zamieszanie. Po to, żeby nie mieli czasu na atak.

W głowie Meilin pojawił się pewien pomysł.

– Zostańcie na straży. Potrzebuję chwili skupienia – powiedziała.

Wypuściła Jhi ze stanu uśpienia. W ciemności panda rzucała się w oczy. Czarne łatki pozostały oczywiście niewidoczne, ale biała reszta jej futra zwracała uwagę. Poza tym warsztat kowalski nie był wymarzonym miejscem dla stworzenia o gabarytach olbrzymiej pandy.

Jhi musiała zmienić pozycję, żeby kowadło nie wciskało jej się w bok.

– Jhi, możesz mi pomóc? – zapytała Meilin. – Mam pewien pomysł, ale muszę się skoncentrować.

Panda wyglądała na chętną do współpracy. Postawiła uszy w słupki, jej oczy pojaśniały, a z pyszczka zniknęło napięcie. Meilin nigdy wcześniej nie zauważyła, że Jhi jest zdolna do podobnej ekspresji.

Gdy tylko Meilin zamknęła oczy, poczuła uspokajający wpływ pandy. „Tak łatwo byłoby teraz zasnąć" – pomyślała. Mogłaby się zwinąć w kłębek, przytulić do miękkiej sierści zwierzoducha i po prostu zasnąć. Nagle zatęskniła za Zhong tak bardzo, że zachciało jej się płakać.

Wiedziała, że te reakcje pojawiły się pod wpływem Jhi. Jej moc pokonywała wszelkie logiczne bariery umysłu dziewczyny. Meilin nie miała jednak na to czasu. Skupiła się i stłumiła emocje.

Zobaczyła przed sobą różne możliwości. Tym razem przypominały raczej gwiazdy niż planety. Świeciły tak jasno, że trudno było patrzeć na nie bezpośrednio. Gdy Meilin rozważała kolejne z nich: wywołanie zamieszania wśród mastifów, zakradnięcie się do innego okna więzienia, frontalny atak na strażników, ich światło wypalało się i gasło.

Tylko jedna gwiazda wciąż świeciła jasno. Meilin pozwoliła, żeby gwiazda krążyła wokół niej, i oglądała ją ze wszystkich stron, poszukując na jej powierzchni ciemnych plam, oznaczających słabe punkty rozważanego planu.

„To nie będzie łatwe" – pomyślała. W tym samym momencie poczuła zachętę ze strony Jhi. Panda miała oczywiście rację – Meilin nigdy nie wybierała najłatwiejszego rozwiązania.

Otworzyła oczy.

– I co? – zapytała Abeke.

– Będziecie musieli mnie kryć – powiedziała Meilin. – Przygotowania zajmą mi trochę czasu.

9

UCIECZKA

P o prostu wspaniale – powiedział Rollan. – Właśnie tak sobie wyobrażałem naszą drugą misję.

Strażnicy zabrali im wszystkie rzeczy i wrzucili do celi w Wyjącym Domu. Pomieszczenie wyglądało jak boks dla jakiegoś dużego zwierzęcia: pięć metrów długości i szerokości, pięć wysokości i jedno maleńkie okienko wysoko na ścianie, zabezpieczone kratami i siatką z drutu. Na kamiennej podłodze widać było ślady pazurów. Głębokie ślady. Część znajdowała się na krawędziach płyt, jakby jakieś zwierzę próbowało wyrwać kamienie, żeby przedrzeć się na zewnątrz. Część jednak wyżłobiona była w przypadkowych miejscach, na ścianach i suficie, jakby ktoś albo coś drapało na oślep w furii. Albo w obłędzie.

Po zaledwie godzinie spędzonej w ciasnej celi Conor sam był już bliski szaleństwa. Przebywanie w zamkniętych pomieszczeniach zdecydowanie mu nie służyło.

Chłopak myślał tylko o tym, jakie ponure i niepokojące zmiany zaszły w Trunswicku. Zastanawiał się, czy gdzieś w Wyjącym Domu nie była uwięziona także jego matka. O ile w ogóle jeszcze żyła. Przybył do miasta w pokojowych zamiarach, a traktowano go jak wroga. Nie popełnił żadnej zbrodni, a wtrącono go do lochu. W tym dziwnym świecie nie mógł być już niczego pewien.

Rollan opierał się leniwie i nonszalancko o przeciwległą ścianę, dłubiąc w zębach źdźbłem słomy. W więziennej celi wydawał się całkiem na miejscu. Conor zaczynał jednak dostrzegać, że chłopak bardzo się stara, żeby sprawiać wrażenie, że wszędzie czuje się jak u siebie.

– Nie mogę pojąć, jak to możliwe, że Devin ma zwierzoducha – przerwał ciszę Conor. – Stałem obok niego podczas Ceremonii Nektaru. Jestem pewien, że nie udało mu się przyzwać żadnego zwierzęcia.

– Zauważyłeś, jak bardzo był zaprzyjaźniony ze swoją panterą? – zastanawiał się na głos Rollan. – Jakby byli towarzyszami od lat. Ten kot robił wszystko, co Devin mu kazał. I zupełnie nie rozumiem dlaczego, bo z pewnością nie za sprawą uroku osobistego Devina.

Myśląc o synu earla i jego zwierzoduchu oraz o wszystkim, co ich spotkało w Trunswicku, Conor poczuł się nagle straszliwie zmęczony. Zaczynał mieć wątpliwości, czy on, syn pasterza, jest w stanie sprostać trudnemu zadaniu, które postawił przed nim przywódca Zielonych Płaszczy.

– Przepraszam. Gdyby nie ja, nie siedzielibyśmy tutaj.

W odpowiedzi Rollan uniósł tylko brew.

– To nigdy nie był mój dom – ciągnął Conor. – Moim domem były pola i pastwiska. Ale... kiedyś było tu inaczej. To wszystko. Mama wysłała do mnie list. Napisała, że od czasu mojego odejścia pracuje w Trunswicku dla Devina i że niezbyt dobrze im się wiedzie. Chciałem ją tylko zobaczyć, przekonać się, jak bardzo jest źle. No i myślałem, że będzie dumna... – urwał nagle. Nawet nie chciał się zastanawiać, gdzie mogła teraz być jego mama. Serce ciążyło mu nieznośnie.

– Wszyscy popełniamy błędy – pocieszył go Rollan. – Weźmy na ten przykład pranie, które zjadłem wczoraj na kolację. To z pewnością był błąd, bo nadal mam w ustach ten dziwny smak.

Conor westchnął. Przeprosiny nie przyniosły mu ulgi. Miał świadomość, że trafił do więzienia z powodu własnej słabości. Więc co sprawiło, że to właśnie on przyzwał Briggana? To musiało być nieporozumienie. I marnotrawstwo...

– Przestań tak ciągle łazić. Doprowadzasz mnie tym do szału – rzucił Rollan i zmarszczył czoło. – Słyszałeś coś?

Conor nadstawił ucha, ale wychwycił tylko odgłosy zwierząt z sąsiedniego boksu i pohukiwania nocnych ptaków, no i własny oddech.

– Niby co? – spytał.

Rollan przekrzywił głowę.

– Coś jakby krzyk?

Obaj wsłuchali się w ciszę, którą nagle rozdarł wysoki, piskliwy wrzask. Potem rozległ się drugi jazgot, a później następny, cieńszy i bardziej odległy.

– O, właśnie – skomentował Rollan. – Ktoś krzyczy. Wszędzie bym rozpoznał ten ton. W ostatnim czasie stałem się swego rodzaju koneserem wrzasków, a ten brzmi, jakby ktoś był ogromnie zdziwiony.

Obaj chłopcy aż podskoczyli, gdy coś uderzyło w siatkę zamontowaną w małym otworze okiennym. To Essix wylądowała niezgrabnie na parapecie i zaczęła szarpać druty szponami.

– Próbuje się tu dostać – stwierdził Conor.

– Niestety, moja droga, nic z tego nie będzie – powiedział Rollan do sokolicy, która w odpowiedzi zaskrzeczała piskliwie.

Z zewnątrz dochodziły coraz głośniejsze krzyki strażników. Towarzyszyły im dziwne trzaski i łoskot, których Conor nie umiał zidentyfikować.

Nagle ktoś zbliżył się do drzwi ich celi. W małym zakratowanym otworze obok skobla ukazała się twarz Finna, który zaczął pracować nad otwarciem zamka.

– Finn! – zawołał uradowany Conor.

– Bądźcie gotowi – pouczył ich Finn. Narzędzia pobrzękiwały w jego drżących palcach, chociaż głos miał spokojny. – Być może będziecie musieli wywalczyć sobie drogę do wyjścia.

Wtem Rollan krzyknął z zaskoczenia i spojrzał na posadzkę. Wokół jego stóp zebrała się woda.

Zaniepokojony Conor podniósł jedną nogę. Jego but też był wilgotny.

– Skąd ten potop?

– Z wieży ciśnień – wyjaśnił Finn.

Zwiadowca nie przestawał mozolić się z zasuwą. Ręce wciąż mu drżały, poza tym jednak nie zdradzał zdenerwowania.

Tymczasem hałasy dochodzące z zewnątrz nasilały się z każdą minutą.

– Co się tam dzieje? – dopytywał Conor.

– To Zielone Płaszcze i ich sojusznicy – odparł Finn i potraktował zamek gniewnym kopniakiem. – Earl zamknął tu dziesiątki ludzi, którzy opowiadali się po stronie naszej organizacji.

Rollan podszedł do drzwi.

– Co się dzieje z twoimi rękami?

Finn rzucił mu szybkie spojrzenie.

– Nic – uciął.

Rollan przymrużył oczy, jakby podejrzewał, że mężczyzna próbuje coś ukryć.

– Coś nie tak z zamkiem? – zapytał po chwili.

– Chyba się zaciął – odparł Finn i mocno pociągnął za drzwi, które podskoczyły w zawiasach, ale nie ustąpiły. – Potrzebna większa siła. Możecie pchać od środka?

Conor i Rollan spróbowali wyważyć drzwi, ale bez większego skutku. Nie mieli dość sił.

Krzyki zbliżały się coraz bardziej.

– Czy tak samo było z innymi zamkami? – zapytał Conor.

– Nie, tylko ten się zaciął. Otworzyłem zapadki, ale skobel ani drgnie.

– Uwolnij pozostałych więźniów – odpowiedział mu chłopak. – Może uda im się zatrzymać strażników. My będziemy dalej próbować. Idź prędko!

Finn się zawahał.

– Wrócę po was, jeśli do tego czasu nie uciekniecie – zapewnił.

Gdy odbiegł, Conor z Rollanem znów naparli na drzwi. Woda sięgała coraz wyżej, sączyła się przez kamienne ściany i wpływała przez szparę pod drzwiami, niosąc słomiane pakuły.

– Czy ta woda nigdy nie przestanie się podnosić? – zawarczał Rollan przez zaciśnięte zęby.

– Czy te drzwi nigdy nie ustąpią? – dodał Conor. – Przecież dopiero przed chwilą nas tu zamknęli! Gdybyśmy tylko mieli kogoś jeszcze do pomocy...

– Macie jeszcze kogoś – zza drzwi dobiegł znajomy głos. – Conor, wypuść Briggana!

– Meilin! – wykrzyknęli razem chłopcy.

Skośne oczy dziewczyny ukazały się w otworze obok skobla. Jej włosy były mokre.

– Jak zwykle trzeba was ratować! Nie stój tak, Conor! Wypuść Briggana – rzuciła. – Szybko! Gdzie jest Tarik?

– To długa historia. Jest bezpieczny, ale nie mógł nam dalej towarzyszyć. Meilin, strażnicy...

– Są teraz zajęci. Obaliłam więżę ciśnień.

– Obaliłaś...? – zapytał z niedowierzaniem Rollan. – To niemożliwe! Wieża to nie jakiś kubek, nie da się jej tak po prostu przewrócić.

– Mnie się udało. Conor! Na co czekasz?!

Błysnęło i Conor uwolnił Briggana. Wilk pojawił się obok niego i z niesmakiem uniósł mokre łapy.

– Możesz nam pomóc, Briggan? – zapytał chłopak. – Jesteś ciężki i masz więcej siły niż my!

Wilk skoczył na drzwi bez wahania i uderzył w nie w chwili, gdy Meilin pociągnęła ze swojej strony. Conor i Rollan również naparli na przeszkodę. Meilin stęknęła z wysiłku. Briggan zasapał. Chłopcy jęknęli. Drzwi zatrzeszczały i ustąpiły.

– O to chodziło! – zawołał Conor, obejmując dłońmi pysk Briggana.

Uszczęśliwiony pochwałą wilk zawył wibrująco.

– No dobra – skomentował Rollan. – Starczy tych czułości. Spadamy stąd.

Chłopcy pomknęli za Meilin ciemnym korytarzem – podczas zamieszania połowa pochodni zgasła.

– Jak ci się udało przewrócić wieżę ciśnień? – zapytał z podziwem Rollan.

Meilin obejrzała się przez ramię.

– W Zhong miałam dobrych nauczycieli – powiedziała z pełną powagą.

W biegu troje towarzyszy z drużyny popatrzyło na siebie nawzajem i wszyscy się uśmiechnęli. Chociaż nie wydostali się jeszcze z tarapatów, cieszyli się, że znowu są razem.

– Przygotujcie się – ostrzegła Meilin, gdy dotarli do końca korytarza. – Na zewnątrz jest gorąco.

Wokół dziedzińca Wyjącego Domu stały pochodnie, na których niespokojnie tańczył ogień. Zobaczyli więc, że strażnicy zmagali się z kilkunastoma przeciwnikami. Byli to uwolnieni więźniowie. Po placu uganiały się zwierzoduchy, które również brały udział w walce, a strażnikom pomagały mastify.

Briggan naparł na nogi Conora i odepchnął go na bok. „To zupełne szaleństwo" – pomyślał chłopak.

Podbiegł do nich Finn z jakimś mężczyzną. Mimo półmroku widać było, że nieznajomy miał na sobie łachmany. Conor siedział w celi zaledwie kilka godzin. Było jasne, że mężczyznę więziono znacznie dłużej.

– Szybko, za mną! – poganiał towarzyszy Finn. – Pozostali nie zdołają nas długo osłaniać.

– Osłaniać? – powtórzył jak echo Conor, przyglądając się bitwie. – Musimy im pomóc!

Człowiek w łachmanach pokręcił głową.

– Nie. Briggan i inne Wielkie Bestie muszą uciec. Waszym przeznaczeniem jest coś więcej niż ta walka.

W tej właśnie chwili na nieznajomego skoczył jeden z mastifów. Mężczyzna się zachwiał, a kiedy odwrócił się w stronę zagrożenia, kolejny brytan obnażył zaślinione kły i skoczył mu do gardła. Meilin rzuciła się na pomoc, ale Finn złapał ją za ramię.

– Słyszałaś, co powiedział! Niech jego poświęcenie nie idzie na marne! – warknął. – Naszym celem jest odnalezienie talizmanu. Celem naszych walczących sojuszników jest umożliwienie nam wypełnienia tej misji.

Jeden z oswobodzonych więźniów odgonił mastify, ale mężczyzna w łachmanach już się nie podniósł.

– Oni chcą, żebyśmy uciekli – powtórzył Finn, odciągając Meilin. – Zabieram was stąd. Za mną, powiedziałem. Natychmiast!

Mimo że stronnicy Zielonych Płaszczy robili wszystko, co w ich mocy, żeby dopomóc Wielkim Bestiom i ich partnerom w ucieczce, zostawienie tej garstki obrońców na pastwę losu nie wydawało się słuszne. „Tak nie wolno – myślał Conor. – Ciągle ktoś mówi o naszym wyjątkowym powołaniu. Skoro jesteśmy tacy ważni, dlaczego nie możemy pomóc ludziom tutaj i teraz? Czym przewyższamy tych nieszczęśników, którzy zostają tu na niemal pewną śmierć?"

Przedzierali się przez kotłowaninę walczących. Meilin blokowała ciosy, a Rollan kucał, robiąc uniki. Wszędzie wokół czuć było odór potu i płonącego drewna. Obok przebiegł jakiś królik, gdzieś dalej zobaczyli niedużego niedźwiedzia. Conor zdał sobie sprawę, że musiały to być zwierzoduchy Zielonych Płaszczy uwięzionych dotąd w Wyjącym Domu. Wszystkie zwierzęta chciały pomóc uciekinierom, ale walczyły osobno. Conor i jego towarzysze przynajmniej odbyli kilka lekcji, jak działać w grupie. „Gdyby tylko nasi sprzymierzeńcy mieli szansę wcześniej przygotować jakiś plan, walka przebiegałaby inaczej" – myślał gorączkowo chłopak.

W tej właśnie chwili jeden ze strażników szarpnął go za połę płaszcza, czym zmusił go do zatrzymania się.

Chłopak spróbował się wyrwać, ale strażnik przyciągał go do siebie. Conor był znacznie mniejszy i słabszy od napastnika, a dodatkowo jego buty ślizgały się po brudnym dziedzińcu.

– Rollan! Meilin! – zawołał rozpaczliwie, ale jego głos zginął w zamieszaniu. Nikt z członków drużyny nawet nie zauważył, że Conor został schwytany.

Strażnik dobył krótkiego miecza. Wściekłość na jego twarzy nie pozostawiała żadnych złudzeń: to nie były ćwiczenia, mężczyzna zamierzał zabić.

„Ale ja jestem tylko dzieckiem" – pomyślał Conor.

Jednak w oczach napastnika nie było litości.

– Briggan! – wrzasnął rozdzierająco Conor, lecz wilk był zbyt daleko…

Wtem jakaś kobieta zdzieliła strażnika mokrą deską. Przez jedną chwilę wyraz jego twarzy nie uległ zmianie; mężczyzna nadal unosił miecz. Potem jego oczy zaszły mgłą i upadł na kolana.

Z Conora uszło całe powietrze.

Wybawicielka objęła go ramionami i zamknęła w uścisku.

– Conorze! – westchnęła.

Conor wszędzie rozpoznałby ten głos. To była jego matka. Jak wszyscy uwolnieni więźniowie, była obszarpana i zgnębiona, mimo to chłopak poczuł ogromną ulgę. Jego mama żyła!

– Mamo, ja… – powiedział i przytulił ją mocno.

W głowie miał mętlik, a przed oczami przesuwały mu się obrazy ostatnich dramatycznych wydarzeń: morderczy wyraz twarzy strażnika, mężczyzna w łachmanach padający pod ciężarem mastifów, drżące dłonie Finna mocującego się z zamkiem.

Jego matka była bardzo chuda.

– Wiem – odparła. – Ale nie ma czasu. Musisz uciekać! To nie jest bezpieczne miejsce dla członków Zielonych Płaszczy. Nawet... nawet Isilla... Już jej nie ma...

– A-ale tak nie można – wyjąkał w końcu Conor, zszokowany wieścią o losie kobiety, która przewodziła jego Ceremonii Nektaru. Odkąd sięgał pamięcią, Isilla cieszyła się w Trunswicku powszechnym szacunkiem. – Nie chcę cię tu zostawiać. Chodź z nami.

– Nie mogę. Twój ojciec i twoi bracia nadal mnie potrzebują.

Pozostali członkowie drużyny zauważyli w końcu, że Conor gdzieś zniknął, i próbowali przebić się ku niemu przez kłębiącą się ciżbę. Niedaleko niego Abeke wraz z Urazą stawiały czoła dwóm mastifom. Nad dziedzińcem kołowała rozwrzeszczana mewa, zwierzoduch któregoś z walczących.

„To szaleństwo" – powtórzył w myślach Conor. Teoretycznie ich szanse były większe niż podczas leśnej potyczki, jednak wśród takiego chaosu los sojuszników Zielonych Płaszczy był przesądzony.

– Jak mogę wam pomóc? – zapytał rozpaczliwie matkę.

– Dostałeś mój list? Wszyscy jesteśmy z ciebie bardzo dumni, Conorze. Na pewno nie bez powodu przywzałeś Briggana, który był wielkim przywódcą. Jesteś dobry, jesteś mądry. Rób to, co uważasz za słuszne. Zawsze tak postępowałeś.

– Ale ja nie wiem, co jest słuszne!

Matka przytuliła go raz jeszcze.

– Rób to, co podpowiada ci serce, synu.

Conor się zawahał. Miał pewność, że jeśli teraz uciekną, sojusznicy Zielonych Płaszczy stracą życie, gdy będą osłaniać ich odwrót. Być może ich sprzymierzeńcy pogodzili się ze swoim losem, lecz on nie mógł przyjąć takiego poświęcenia. Jak powiedziała lady Evelyn, był strażnikiem. Jeśli jednak zdecyduje się zostać, najprawdopodobniej zginie nie tylko on sam, lecz także jego towarzysze z drużyny oraz ich zwierzoduchy. Czy istniało jakieś wyjście z tej sytuacji? Co było mniejszym złem?

Nie wiedział.

– Briggan... – Zanurzył palce w sierści wilka. – Czy możemy im pomóc? Oni nas potrzebują.

Miał świadomość, że ich sprzymierzeńcy potrzebują przywódcy. Nie wiedział jednak, czy Briggan i on są gotowi, żeby poprowadzić innych do walki. Briggan był pewnie gotów, ale on sam?

Wilk postawił czujnie uszy i rozejrzał się po dziedzińcu pogrążonym w chaosie. Conor również potoczył wzrokiem i zauważył, że nadciąga jeszcze większe niebezpieczeństwo. Earl Trunswicku nadjeżdżał na białym koniu uliczką prowadzącą do dziedzińca. Zwierzoduch władcy, potężnie zbudowany ryś, kroczył obok niego. Earl nie śpieszył się, jakby doszedł do tego samego wniosku co

Conor: los członków Zielonych Płaszczy i ich stronników był przesądzony.

To była ostatnia chwila na ucieczkę.

Conor i Briggan spojrzeli sobie w oczy. Tym razem żaden z nich nie odwrócił wzroku.

Potem Conor złożył dłonie wokół ust i zawołał:

– Meilin! Rollan! Abeke!

Kiedy był już pewien, że koledzy go dojrzeli, zamachał gorączkowo, żeby przywołać ich do siebie.

Meilin podbiegła pierwsza.

– Musimy uciekać! – wysapała.

– Musimy im pomóc – odparł zdecydowanie Conor. – To nasz obowiązek.

Matka Conora pokiwała głową. Cofnęła się nieco i zacisnęła dłonie na desce, którą powaliła strażnika.

– Jaki masz plan? – zapytał Rollan.

– Zrobimy tak jak na treningu. Znajdziemy jakąś broń i będziemy walczyć razem, jako drużyna.

Nie musiał tego powtarzać. Rollan wyciągnął swój nóż, Meilin uniosła zaciśnięte pięści, a Abeke przyjęła niską pozycję tuż obok Urazy. Wtedy Briggan odchylił łeb i zawył przeciągle. Jego skowyt przedarł się przez zgiełk walki i sprawił, że Conor dostał gęsiej skórki. Wszystkie zwierzoduchy jak za dotknięciem czarodziejskiej różdżki odwróciły się w stronę Briggana.

Zapadła chwila ciszy. Conor nie omieszkał jej wykorzystać.

– Do ataku, Zielone Płaszcze! – wykrzyknął.

Członkowie drużyny wraz ze swoimi zwierzoduchami zareagowali jak jeden organizm. Uraza ruszyła przodem, nisko, ostrożnie, Briggan pędził u boku dzieci, Essix zaś krążyła nad ich głowami. Meilin, Abeke, Rollan i Conor rzucili się do boju, ale nie ścierali się z przeciwnikami osobno, tylko walczyli jak jeden mąż, eliminując kolejnych wrogów. Rollan dźgał swoim sztyletem. Abeke wywijała płonącą pochodnią. Conor uderzał łopatą, którą zabrał z wózka stojącego obok kuźni. Meilin wolała walczyć bez broni.

Nie minęło wiele czasu, a stronnicy Zielonych Płaszczy zrozumieli ich taktykę. Jedna z nich, kobieta, walczyła dotąd ze swoim zwierzoduchem u boku – zwykłą kozą domową. Kiedy jednak zobaczyła, że czwórka dzieci działa jako drużyna, skoczyła za nimi. Potem dołączył do nich mężczyzna z sową. Później jakiś chłopak, którego zwierzoducha – o ile go w ogóle posiadał – nie było nigdzie widać. Inni także dostrzegli, że trzeba działać razem, a do walki wykorzystać cokolwiek, co jest w zasięgu ręki. I wszyscy zaczęli tak robić.

Plan się powiódł. Kakofonia bitwy stała się ogłuszająca. Strażnicy się wycofywali. Mastify zostały pokonane.

„Możemy zwyciężyć, Briggan!" – pomyślał Conor. Czuł w sobie moc wilka, która dodawała mu sił. Czuł się tak, jakby sam stał się wilkiem. Był szybszy, silniejszy, miał wyostrzone zmysły. Przekonał się, jak niezwykle może działać więź ze zwierzoduchem.

Zaczęli wygrywać.

Lecz raptem nad dziedzińcem rozbrzmiał głos earla Trunswicku:

– Jeżeli zależy wam na życiu tego człowieka, rzućcie broń!

W migotliwym świetle pochodni zobaczyli earla stojącego po drugiej stronie placu, na podeście dla licytatorów bydła. Władca trzymał Finna, przyciskając mu miecz do gardła. Ryś earla przechadzał się u jego stóp, jakby chciał sprowokować atak.

Walka zamarła. Słychać było tylko ciężkie oddechy, wydobywające się z wielu gardeł.

Finn odezwał się słabym głosem, ale wśród ciszy, która zapadła, słychać go było doskonale.

– Uciekajcie! Nie słuchajcie go! Uciekajcie!

Conor poczuł w sercu trwogę. Jego matka kiwała głową. Zdawała się mówić „uciekaj".

Wszyscy sprzymierzeńcy Zielonych Płaszczy wpatrywali się w Rollana, Abeke i Meilin, żeby zobaczyć, jaki będzie ich następny ruch. Strażników pozostało niewielu. Jasne było, że nie zdołaliby powstrzymać uciekających dzieci, gdyby władca nie wziął Finna na zakładnika.

– Jeżeli uciekniecie, nie zabiję go od razu – przemówił earl z drwiną w głosie, charakterystyczną dla wszystkich Trunswicków. – Wsadzę go tam, gdzie jego miejsce. Do Wyjącego Domu! O, tak, nie obawiaj się, Finnie Cooleyu! Jeszcze z ciebie wypalimy tę całą trudną więź!

Dłonie Finna drżały tak samo jak wcześniej, ale kiedy się odezwał, jego głos był równy i spokojny:

– Uciekajcie. Tu chodzi o coś więcej niż o mnie.

– Nie możemy go tak zostawić – szepnęła Meilin.

Earl przycisnął do gardła Finna krawędź klingi. Ostrze przecięło skórę, a płytka rana wypełniła się krwią.

Finn zacisnął usta i spojrzał Conorowi w oczy.

– Zabierz ich stąd – powiedział.

Conor potrzebował planu, ale nic nie przychodziło mu do głowy. Popatrzył na Meilin. Jej wzrok był pełen udręki – dziewczyna także nie miała żadnego pomysłu, co robić dalej. Rollan i Abeke pokręcili ponuro głowami. Również na twarzy matki Conora widniała bezradność – sytuacja ją przerosła.

Czy tak miało się to skończyć? Mieli pozostawić Finna w rękach wroga?

Wtem na dziedzińcu buchnął ogień. Płomienie zahuczały, prysnęły iskrami i przemieściły się w stronę earla i Finna, pochłaniając wszystko na swojej drodze. Było to tak zaskakujące, że Conor potrzebował dłuższej chwili, żeby zrozumieć, co się stało: po bruku toczył się wóz wyładowany belami płonącej słomy. Wielkimi, dławiącymi chmurami buchał z niego dym.

Chłopak przepatrzył skraj dziedzińca, żeby zobaczyć, kto wzniecił ogień. Jego wzrok przyciągnęła nieduża postać. Był to Dawson Trunswick, młodszy brat Devina. Kiedy chłopiec się zorientował, że Conor go zauważył, nerwowo skinął mu głową i zniknął w ciemności.

Wóz pędził w stronę podestu, więc earl z rysiem musieli odskoczyć, żeby się ratować. Finn wykorzystał tę okazję i rzucił się w przeciwnym kierunku. Przebił się przez oślepiające kłęby dymu i pobiegł w stronę czekających na niego dzieci, zostawiając z tyłu earla i jego wściekłe przekleństwa.

– Uciekajcie! – zawołała matka Conora, kiedy Finn dotarł do grupy. Dotknęła twarzy syna. – Będziemy was osłaniać. Zabierzcie Finna i uciekajcie!

Earl ryczał z taką furią, że nie sposób było rozróżnić poszczególnych słów.

– Dziękuję – powiedział do matki Conor. – Dziękuję! – powtórzył głośniej do wszystkich stronników Zielonych Płaszczy.

– Niech żyją prawdziwe Wielkie Bestie! – zawołał ktoś.

Pozostali podjęli okrzyk.

Uśmiech na twarzy matki Conora był pełen dumy. Chłopak poczuł, że zalewa go radość.

Potem tłum zwrócił się w stronę zbliżających się strażników. Walka miała rozgorzeć na nowo.

Dzieci rzuciły się do biegu. W głowie Conora cały czas kołatała się pewna myśl – ani Zerif, ani nikt z jego grupy nie pomógł strażnikom miasta, co wydawało się bardzo podejrzane. Chłopak czuł jednak zbyt wielką ulgę, żeby dłużej się nad tym zastanawiać. Wiedział, że jeśli tylko uda im się cało wydostać z Trunswicku, będzie miał więcej czasu, żeby ocenić, czy nieobecność zwolenników Zdobywców w walce wynikała z tchórzostwa, czy też ze strategii.

Na razie jednak biegli.

Nad dziedzińcem znów poniosły się odgłosy walki, ale nikt nie ścigał drużyny. Sprzymierzeńcy Zielonych Płaszczy zatrzymali strażników.

Wkrótce uciekinierzy słyszeli już tylko stukot własnych kroków na bruku, a potem szuranie swoich butów na nagiej ziemi za murami miasta. A kiedy wybiegli na pastwiska otaczające Trunswick, przestali słyszeć cokolwiek.

Finn gestem wskazał kierunek.

Drużyna pobiegła w ciemność w ślad za zwiadowcą.

10

GLENGAVIN

Finn znowu uratował im życie. Jednak Rollan, który miał niemałe doświadczenie w roli zbiega, był pewien, że brawurowa ucieczka z Trunswicku to nie koniec ich kłopotów z władcą miasta i Zerifem. Wrogowie tak łatwo nie dadzą za wygraną. Widział przecież zawziętość malującą się na twarzy earla. Co istotniejsze, widział też jego konia. I chociaż relacja Rollana z jego wierzchowcem nie była łatwa, bardzo żałował, że nie ma z nim teraz tego utrapionego zwierzęcia. Przecież jeździec zawsze porusza się szybciej niż piechur.

Jednak strażnicy z Trunswicku ich nie dogonili.

Wszystko dlatego, że Finn prowadził drużynę ścieżkami, których ścigający nie mogli znać. Póki byli jeszcze blisko miasta, wiódł ich korytami rzek, żeby uniemożliwić psom zwietrzenie śladów. Kiedy już znaleźli się w bezpiecznej odległości od Trunswicku, wybrał drogę przez dziwny las pełen głazów, przez który nie mógłby przejechać żaden konny: konary drzew zwisały tu bardzo nisko, sięgały pasa, a kamienie pokrywał wiecznie wilgotny mech, który zostawał w rękach, gdy ktoś mocniej opierał się na skałach podczas wspinaczki.

Szli długo i przez coraz dziwniejszą okolicę. Im bardziej nietypowe stawało się otoczenie, im bardziej niezwykły był krajobraz, tym większej pewności siebie nabierał Finn. Kiedy doszedł do wniosku, że ich trasa jest wystarczająco niedostępna, żeby uniemożliwić pościg, zatrzymał się, patykiem nakreślił mapę na piasku i obmyślał skróty, mamrocząc coś do siebie.

Wreszcie znaleźli się na górskim szlaku. Z daleka góry wydawały się dogodne do pieszej wędrówki, jednak to wrażenie okazało się złudne. Dla bezpieczeństwa wszyscy członkowie drużyny przewiązali się w pasach jedną długą liną. Dzięki temu, gdyby komuś zdarzyło się upaść, miał się czego złapać. Rollan sądził jednak, że gdyby rzeczywiście się przewrócił, pociągnąłby za sobą pozostałych. Niemniej myśl o tym, że nawet spadając ze zbocza, będzie miał towarzystwo, była w jakiś sposób pocieszająca.

Podczas wędrówki Finn uczył ich starej, północnoeurańskiej metody wysyłania zaszyfrowanych wiadomości. Zawiązał na wstążce ciąg tajemniczo wyglądających supełków. Dla Rollana nie miało to żadnego sensu i – co stwierdził nie bez pewnej satysfakcji – dla Conora też nie. Zresztą od chwili ucieczki z Trunswicku Conor był stale ponury i zamyślony. Tylko Abeke i Meilin obserwowały bacznie Finna i jego węzełki.

– Te znaki składają się w słowo „Abeke" – wyjaśnił zwiadowca. – Wystarczy przywiązać tę wstążkę do nogi złocistego gołębia z Trunswicku i go wypuścić. Gołąb poleci, unosząc ze sobą wiadomość.

Rollanowi nie przychodził do głowy nikt, komu mógłby wysłać wiadomość. Mógłby ewentualnie zaszyfrować tekst „Droga Mamo, dzięki za nic" i wypuścić ptaka w kierunku Amayi.

Po drodze dyskutowali o tym, co Zerif mówił na temat Żółci. Na wieść, że Zdobywcy znaleźli sposób na wymuszenie więzi z dowolnym zwierzęciem, Conor znów głęboko się zamyślił. Rollan też popadł w zadumę. Zastanawiał się, czy możliwość wyboru magicznego towarzysza, z którym człowiek miał spędzić resztę życia, naprawdę była takim złym rozwiązaniem. Jednak nie wspomniał o tym na głos. Miny towarzyszy świadczyły o tym, że nie spotkałby się ze zrozumieniem.

Wydawało się, że wędrują już wiele tygodni, chociaż tak naprawdę minęły ledwie dni. Rollan najpierw zjadł wszystkie swoje ulubione przysmaki, potem zapasy, które uważał za mniej smakowite, a na końcu te, za którymi nie przepadał.

Krajobraz stawał się coraz bardziej niegościnny. Na zboczach gór widać było coraz mniej zieleni, za to coraz więcej szarości. Przez trawę coraz częściej przebijały poszarpane skały. Roślinność porastająca podnóża gór nabrała barwy złota i fioletu. Choć niewątpliwie zachwycała oko, nie nadawała się do wypasu zwierząt. Stopniowo przestali widywać miasteczka, zagrody, domy czy choćby pojedynczych ludzi.

W miarę jak ubywało jedzenia, a krajobraz stawał się coraz bardziej surowy, Finn prostował coraz bardziej plecy i wydawał się nabierać sił. Głowę trzymał wysoko. Jego siwe włosy przestały kojarzyć się z porażką, a zaczęły być oznaką wiedzy i doświadczenia. Dzikie okolice Eury zdawały się wzmacniać Finna.

Rollan natomiast słabł, bo stale czuł głód. Doszedł do wniosku, że oto nadszedł czas, żeby pogodzić się z możliwością śmierci głodowej. Na szczęście w dniu, w którym zjadł ostatni kawałek suszonego mięsa, wreszcie dotarli do Glengavin.

Miasto, tak samo jak Trunswick, było otoczone potężnym kamiennym murem, dobrze widocznym ze znacznej wysokości, na której się znajdowali. Jednak mur stanowił jedyne podobieństwo pomiędzy obiema miejscowościami. Była w Trunswicku pewna starodawność, którą przypominał on Rollanowi miasta Amayi. W każdym z nich znajdowało się mnóstwo wąskich zaułków i gęsto stłoczonych zabudowań. Ulice były pełne ludzi, którzy za potrzebą nie udawali się dalej niż do rynsztoków, a nad ściekami latały roje ohydnych, tłustych much. Oprócz tego w miastach Amayi można było znaleźć głównie kupców, złodziei i pijaków. No i mrowie brudnych sierot, takich jak niegdyś Rollan. Nie brakowało tam również możliwości, tyle że najczęściej była to możliwość utraty czegoś cennego, na przykład życia lub zdrowia. Dla Rollana wszystkie miasta wyglądały mniej więcej tak samo. Różniła je architektura, lecz wszystkie toczył rak rozpaczy.

Glengavin było zupełnie inne. W jego centrum stał okazały kamienny budynek – forteca lub zamek, albo może nawet pałac. Starsza, środkowa jego część została wzniesiona zapewne z myślą o obronności, ale rozległe skrzydła zamku zbudowano, żeby zaspokoić potrzebę piękna i luksusu. W murach widniały witrażowe okna, przypominające klejnoty. Każdy występ ozdobiony był kamiennymi gargulcami lub innymi rzeźbami. Na masztach stojących przy wejściach do pałacu powiewały ciemnoniebieskie flagi. Zamek zaskakująco kontrastował z dzikim krajobrazem, rozciągającym się za miejskimi murami.

– Czy ja aby nie śnię? – spytał Conor. – To miasto jest jak ze snu.

„Rumfuss" – pomyślał Rollan. Zamek wyglądał na miejsce w sam raz dla Wielkiej Bestii.

Abeke pokręciła tylko głową. Czarna kotka siedziała jej na ramieniu, a Uraza trzymała się blisko jej boku.

Meilin z pandą przyglądała się miastu w zamyśleniu.

– Te ogrody kojarzą mi się z domem – powiedziała z niezwykłą dla niej tęsknotą w głosie.

Kamienną siedzibę władcy otaczały hektary wypielęgnowanych ogrodów, poprzedzielanych ścieżkami wysypanymi żwirem. Każdy krzew był przycięty w kształt jakiejś geometrycznej bryły, każda róża – zadbana, a do głównego tarasu zamku prowadziła aleja z krzewami lawendy uformowanymi w sześciany.

Widok ten wywołał w Rollanie dziwne uczucia. Odkąd został sierotą, zawsze bardzo się starał, żeby nic nie robiło na nim wrażenia. Dzięki temu unikał rozczarowań. Tym razem jednak naprawdę był poruszony, a nawet czuł ekscytację. Chociaż równie dobrze mógł to być głód.

– Lady Evelyn powiedziała, że powita nas sam władca Glengavin – przypomniał z powątpiewaniem Conor.

– Przekonaliśmy się w Trunswicku, do czego prowadzą takie powitania – odparł kwaśno Rollan.

– Może lepiej będzie, jeśli wyślesz Essix przodem – zasugerował Finn. – Gdyby coś ją zaniepokoiło, da nam o tym znać.

Rollan odchylił głowę. Sokolica jak zwykle kołowała w górze, trzymając się w zasięgu głosu, co jednak wcale nie gwarantowało, że będzie posłuszna.

Meilin skrzyżowała ramiona i popatrzyła na kolegę wyczekująco.

„No świetnie – pomyślał z przekąsem Rollan. – Życzliwe spojrzenie zawsze pomoże".

– Hej, Essix – powiedział nonszalancko.

Sokolica nadal zataczała kręgi, ale obróciła się w stronę, skąd dobiegał głos. Usłyszała wezwanie, jednak nie zamierzała zareagować.

– Essix – powtórzył Rollan nieco głośniej.

Ptak nadal spokojnie szybował.

Teraz na Rollana patrzyli już wszyscy.

– Jakiś problem? – zapytała Meilin tonem jednocześnie słodkim i zjadliwym.

– Nie, skądże – odparł Rollan i wykonał swobodny gest, jakby od początku nie spodziewał się niczego innego. – Ja nie mówię jej, co ma robić, a ona nie próbuje rządzić mną. Dlatego nasza więź jest tak fantastyczna. Wiecie co? Sam pójdę na zwiady.

Kryjąc irytację, poluzował linę zawiązaną wokół pasa i zaczął się zsuwać w dół wzgórza, opadającego ku miejskim murom. Uszedł może kilka kroków, gdy Essix zaskrzeczała i poleciała przodem.

Finn roześmiał się głośno, co zdarzało mu się niezwykle rzadko, i powiedział:

– Przekorne z was stworzenia. Świetnie do siebie pasujecie, co?

– Och, wiesz – rzucił Rollan – nie lubimy się nudzić. Chcemy, żeby nasza więź zachowała świeżość.

– Taak, ładnie to ująłeś. Powiedziałabym nawet, że jest bardzo świeża – mruknęła Meilin.

Rollan zmarszczył nos i odparł:

– Nie skomentuję tego. I nie powiem ani słowa o tym, jak świeży jest zapach twój i twojego zwierzoducha.

Meilin wcale nie pachniała nieprzyjemnie – Rollan miał poważne podejrzenia, że dziewczyny wcale się nie pocą. Panda jednak wydzielała wyraźny piżmowy odorek.

Meilin uniosła jedną brew.

– Serio? Brzydko pachnę? Na nic więcej cię nie stać?

– Wszystkim nam przydałaby się kąpiel – wtrącił się Finn, żeby zapobiec kłótni. – Miejmy nadzieję, że zażyjemy tego luksusu już wkrótce w Glengavin.

Wyglądało na to, że nie jest to całkiem wykluczone, bo po powrocie ze zwiadów Essix wydawała się zupełnie spokojna. Grupa, podniesiona dzięki temu na duchu, ruszyła w stronę bramy, nad którą widniała tablica z dewizą: „ISTNIEJĄ TRZY RZECZY PEWNE: MIŁOŚĆ, ŚMIERĆ I PRAWO GLENGAVIN. POZNAJ JE DOBRZE".

Motto nie przypadło Rollanowi do gustu. Miłość może nie była zła, ale śmierć wcale nie wydawała mu się kusząca. Na temat Glengavin i jego prawa trudno mu było cokolwiek stwierdzić, domyślał się jednak, że raczej nie było w nim mowy o przytulaniu.

Jak się okazało, trzej strażnicy stojący u bramy nie tylko byli uprzejmi, ale wręcz uradowali się na ich widok. Wystarczyły krótkie wyjaśnienia, udzielone przez Finna, i drużynę wprowadzono do miasta.

– Z dumą witamy was w Glengavin – powiedział jeden ze strażników, ten z bujną, rudą brodą i krzaczastymi brwiami w tym samym kolorze.

Rollan był niemal pewien, że w razie konieczności cała ich grupa zdołałaby się schować w zaroście mężczyzny. Jednak to jego skórzany pancerz robił największe wrażenie. Chłopiec nigdy wcześniej nie widział równie skomplikowanych wzorów, pokrywających splotami całą powierzchnię zbroi, podobnie jak tatuaże skórę Finna. Pancerz przypominał cenny eksponat, godny miejsca na półce kolekcjonera, nie zaś przedmiot codziennego użytku. Strażnicy nosili poza tym kraciaste kilty i skórzane torby, zwisające nisko z pasów. Przy kostce każdy miał przywiązaną pochwę z krótkim nożem.

„Wojna musi tu być wydarzeniem miłym dla oka" – pomyślał Rollan i nagle przypomniała mu się dewiza nad bramą miasta.

– Dotarły do nas pogłoski o czwórce bohaterów – powiedział rudobrody strażnik, wyraźnie podekscytowany. – Słyszeliśmy, że jeden z nich przyzwał wielkiego czarnego kota.

– Źle słyszeliście – odparła chłodno Meilin. – Jak sami widzicie, macie przed sobą Czworo Poległych.

– Za światłem podąża ciemność – odezwał się znacznie łagodniejszym tonem Finn. – Gdziekolwiek pojawią się bohaterowie, tam nie brakuje i złoczyńców. Dlatego dobrze jest się wystrzegać ludzi chcących wykorzystać okazję do własnych celów.

– Rzeczywiście – przyznał przyjaźnie rudobrody strażnik i wyciągnął dłoń, żeby pogłaskać kotkę na rękach Abeke. – To nie jest jedna z Wielkich Bestii.

– Nie – przyznała Abeke. – Nazwałam ją Kunaya.

– Nadałaś jej imię? – zapytała Meilin, przewracając oczami.

– Czy ona ma jakieś niezwykłe moce? – chciał wiedzieć strażnik.

Meilin spojrzała na niego kwaśno.

– Linieje. Drapie. I jest ciężka – zadrwiła.

Abeke uśmiechnęła się jedynie tajemniczo. Tak samo uśmiechała się Uraza. I mała Kunaya. Wyglądało na to, że taki sposób uśmiechania się był typowy dla wszystkich kotów.

Rollan nie ufał kotom, ale też nie miał nic przeciwko nim. Z pewnością były lepsze od łasic.

Do grupy zbliżył się nieco zziajany posłaniec.

– Lord MacDonnell z radością wita bohaterów! Na waszą cześć dziś wieczorem zostanie wydana uczta. Czy chcielibyście obejrzeć teraz swoje komnaty?

Czwórka dzieci wymieniła zaskoczone spojrzenia. Powitanie w Glengavin było bardzo różne od tego, które zgotowano im w Trunswicku.

Na myśl o uczcie żołądek Rollana zaburczał.

Strażnik najwyraźniej niewłaściwie zinterpretował ich milczenie.

– Kwatery są naprawdę ładne – zapewnił. – Nie brakuje w nich żadnych wygód.

– Nie w tym rzecz – powiedział Finn. – Chodzi o to…

– …że przyjemnie jest być tak gorąco witanym – dokończył za niego Rollan.

Kiedy prowadzono ich w stronę zamku, Rollan obejrzał się przez ramię. Wisząca nad bramą dewiza nie była widoczna od wewnątrz, ale nie mógł o niej zapomnieć.

To było rzeczywiście ciepłe powitanie. Rollan i Conor dostali wspólną komnatę. Choć pochodzili z różnych stron, obu oszołomił rozmiar pomieszczenia. No i te łoża… Ogromne, z rzeźbionymi kolumienkami wspierającymi baldachim. Każdy z chłopców miał własne posłanie. W większości zajazdów w Amayi w jednym pokoju nie umieszczano dwóch łóżek, a kiedy się to zdarzało, upychano na nich pięć do sześciu osób, niekiedy całkiem sobie obcych. Obok misy do mycia były przygotowane po dwa zestawy ubrań dla każdego gościa. Jeden komplet stanowił zielony kaftan i kilt, przypominający ubiór strażników, drugim był zaś typowy dla Eurańczyków strój złożony ze zwykłej tuniki i nogawic.

– Nie ma mowy, żebym włożył kilt – zastrzegł Rollan.

Conor dotknął kraciastej, wełnianej tkaniny.

– Ciekawy ubiór. Dlaczego nie?

– Za bardzo kojarzy mi się ze służbą i dyscypliną, a sam wiesz, jakie mam zdanie na temat dyscypliny. Co myślisz o dewizie nad bramą?

– Hmm... A co tam było napisane? Wyleciało mi z głowy... – spytał Conor, próbując ukryć zmieszanie.

Rollan przypomniał sobie z żalem, że czytanie nie było mocną stroną kolegi.

– Coś o prawie Glengavin, śmierci i przytulaniu.

Conor wzruszył ramionami.

– Widocznie miłują tu porządek, więc nic dziwnego, że chcą, żeby ludzie przestrzegali prawa. Dlaczego pytasz? Wyczuwasz w tym coś dziwnego?

– Po prostu nie lubię zasad i nakazów. W ogóle nie przepadam za rygorem.

Chłopcy rozglądali się nadal po przydzielonej im komnacie. Meble w niej były okazałe i bogato zdobione, więc zapewne wykonane przez najznakomitszych rzemieślników. Jednak na Rollanie największe wrażenie zrobiły poduszki.

– Żeby je wypchać, potrzeba było chyba piór tysiąca gęsi! – powiedział do Conora, kładąc głowę na poduszce, która była miękka jak chmurka.

– Dwóch tysięcy – poprawił go sennym głosem Conor, bo od czasu dotarcia do Trunswicku nie mieli okazji porządnie się wyspać. – A umywalnię widziałeś? Możesz się pozbyć swojego nieświeżego zapachu.

Wyraz jego twarzy świadczył o tym, że Conor żartuje, odwołując się do wcześniejszego przytyku Rollana pod adresem Meilin.

– Jasne, zaraz się tym zajmę – ziewnął Rollan.

Żaden z nich jednak nie zażył kąpieli. Zamiast tego przez kilka godzin wylegiwali się w w miękkiej pościeli. Spali twardo, aż przyszedł lokaj i zbudził ich na ucztę. Wówczas wykąpali się, przebrali i wyszli z komnaty w ślad za innym służącym.

Wielka sala zamku wyglądała równie gustownie, co okalające go ogrody. Na ścianach wisiały gobeliny. Wokół rozbrzmiewała muzyka. Kobieta w jaskrawej sukni grała na bębnie pokrytym skórą, a jej towarzysz, mężczyzna w tunice identycznego koloru, akompaniował jej na buczących nieustannie dudach. Z kolei dziewczyna, lat może kilkunastu, przygrywała na rzeźbionej, drewnianej harfie.

– Spójrz tylko na to wszystko – powiedział Conor do Rollana.

– Spójrz lepiej na siebie – odparł Rollan, który w przeciwieństwie do kolegi nie zdecydował się włożyć kiltu.

Conor się zaczerwienił.

– Pomyślałem, że tak będzie grzeczniej – odrzekł.

Rollan rzadko kiedy zaprzątał sobie głowę grzecznością.

– Jeśli będziemy musieli szybko uciekać, a ty będziesz miał na sobie spódniczkę, nie licz na moją pomoc – szepnął do kolegi.

Przy dźwiękach skocznej melodii, wygrywanej na dudach, do sali weszły Meilin i Abeke. W tunikach koloru soczystej zieleni, użyczonych przez gospodarzy, obie były zupełnie odmienione. Meilin wyglądała wręcz oszałamiająco i... trochę dziwnie. Rollan dopiero po chwili zrozumiał, że magicznym specyfikiem, który tak na nią zadziałał, była po prostu woda.

Dziewczyny dołączyły do nich. Meilin przez moment przyglądała się badawczo Rollanowi, potem zaś poszukała wzrokiem Essix. Sokolica siedziała na pustym uchwycie od pochodni, dziobem wygładzając piórka pokrywające nogi.

– Rollan, jakiś ty czysty – odezwała się Meilin.

Nadal poświęcała mu więcej uwagi niż zwykle, co wcale go nie martwiło.

– A ja?! – dopomniał się o sprawiedliwość Conor. – Też się umyłem!

– Ach, tak – dodała pośpiesznie Meilin. – Ty też. Zieleń ci pasuje. Do koloru oczu, znaczy. Przyjemnie zatrzymać się w cywilizowanym miejscu.

– Bardziej cywilizowanym, niż jestem do tego przyzwyczajony. Wiecie coś nowego na temat Rumfussa? – zapytał Conor.

– Właśnie, nie widziałyście biegającego gdzieś tutaj dzika? – dodał Rollan.

– Na gobelinie obok naszego pokoju jest dzik – powiedziała Abeke. – Chyba właśnie Rumfuss. Zapytałam o tę podobiznę służącą, która nas tu przyprowadziła. Wyjaśniła, że to dzik z ogrodów. Nic więcej nie wiem.

– Dzik w ogrodzie? – powtórzyła Meilin. – Nic więcej nie chciała zdradzić?

– Wyjaśniła, że prawo zabrania służącym zadawania się z gośćmi.

– Dziwaczne to prawo – zauważył Rollan.

– Zakazów i nakazów jest tu mnóstwo – stwierdziła Abeke. – Chciałam zostawić otwarte drzwi do komnaty, żeby wpuścić trochę świeżego powietrza, ale strażnik ostrzegł mnie, że tylko lordowi i jego rodzinie przysługuje przywilej pozostawiania otwartych drzwi.

– To już zwyczajnie głupie – prychnął Rollan.

– Osobliwe, rzeczywiście – wtrąciła się Meilin. – Jestem jednak pewna, że komuś obcemu zwyczaje Zhong również wydawałyby się dziwne.

– To prawda – przyznała Abeke. – Wioski w Nilo położone na uboczu też bardzo się różnią od Eury czy Amayi. A tu przynajmniej jest przyjemnie.

Nie dało się zaprzeczyć.

– A gdzie Finn? – zapytał Conor.

– Chyba rozmawia z lordem MacDonnellem – odparła Meilin. – To władca Glengavin.

Żołądek Rollana zaburczał na tyle głośno, że dało się go słyszeć pomimo muzyki. Abeke spojrzała na chłopaka ze współczuciem.

– Widziałeś już te wszystkie specjały, którymi zastawione są stoły? – spytała.

Pod ścianami stały długie ławy. Jedną z nich umieszczono na podeście, wyżej od innych. Krzesła wokół niej były wyjątkowo bogato rzeźbione, najbardziej ozdobne zaś było złociste siedzisko przypominające tron. Wszystkie stoły aż uginały się od jadła. Były tam ciasta nasączone syropem cukrowym i ziemniaki z masłem, owoce w bitej śmietanie, stosy placków owsianych, całe piramidy smakowitych kiełbas, chrupiące, młode marchewki i wielkie porcje wołowiny na tacach.

Jak dotąd nikt ze zgromadzonych nawet nie tknął przygotowanych przysmaków. Wszyscy wydawali się czekać na jakiś znak.

Do sali wszedł Finn wraz z postawnym mężczyzną o jowialnym wyglądzie. Musiał to być lord MacDonnell. Miał starannie przystrzyżoną brodę i szeroko rozstawione, wesołe oczy. Ubrany był w kilt i wełniane skarpety, długie do kolan. Przez ramię miał przerzuconą szarfę z kraciastego tartanu, spiętą na wysokości biodra szpilą w kształcie sztyletu.

Mężczyzna zdawał się całym sobą wyrażać dobroduszną wesołość. Owa poczciwość była aż nazbyt ewidentna.

Jako ulicznik Rollan nauczył się, że czasami uśmiech ukrywał złe zamiary. Nie ufał MacDonnellowi. Sam nie wiedział dlaczego. Prawdopodobnie dlatego, że nie ufał nikomu. Jednak nie mógł się pozbyć natrętnej myśli, że być może lord wcale nie jest człowiekiem tak dobrodusznym, na jakiego wygląda.

Essix sfrunęła ze swojego miejsca, usiadła chłopcu na ramieniu i zacisnęła szpony na skórzanym kubraku, jak gdyby potwierdzając jego podejrzenia. Nachyliła się do jego ucha i zasyczała cicho.

– Wiem – szepnął Rollan. – Widzę.

Essix znowu zasyczała i Rollan zaczął nagle widzieć wszystko wyraźniej. Poczuł się tak, jakby dotąd oglądał świat w czerni i bieli, a teraz po raz pierwszy dostrzegł kolory. Zauważył, jak wszyscy służący na sali z chwilą przybycia lorda stali się bardziej spięci. Jak muzycy się zawahali, przez moment niepewni, czy wyjść, czy zostać. Dostrzegł idącą za MacDonnellem dwójkę dzieci, dziewczynkę i chłopca, uderzająco podobnych do pana zamku. Zorientował się, że nigdzie nie było widać żony lorda, i zauważył pionową zmarszczkę na jego czole. Nie umknęło też jego uwadze ani miejsce na podwyższeniu, przeznaczone dla MacDonnella i jego rodziny, ani wysokie siedzisko dla zwierzoducha władcy, ani też pokrywająca je warstwa kurzu.

Czuł się tak, jakby nagle dostrzegł zbyt wiele naraz. Patrzył nadzwyczaj bystrymi oczami Essix, ale informacje przetwarzać musiał we własnym, niekoniecznie nadzwyczajnym mózgu. Zatoczył się nieco, na szczęście Conor podtrzymał go za ramię, a wtedy Rollan wyraźnie zobaczył jego spracowane ręce pasterza. Gdy spróbował odsunąć kolegę od siebie, Essix wzleciała w powietrze i natychmiast wszystko wróciło do normy.

Rollan zamrugał z oszołomienia. Przejście do zwyczajnego postrzegania było wstrząsające. Równie wstrząsające, co wcześniejszy wpływ Essix i patrzenie na świat w ten sam sposób co ona. „A gdyby nasza więź była mocniejsza – pomyślał – czy zawsze widziałbym wszystko tak szczegółowo i wyraźnie?"

Tymczasem Finn zbliżył się do nich razem z panem zamku i jego dziećmi.

– Witam! Jestem lord MacDonnell, a to mój dom. – Głos mężczyzny był donośny i jowialny, doskonale pasował do jego potężnej postury. – Członkowie Zielonych Płaszczy zawsze są tu mile widziani. Glengavin jest domem dla wszystkich bohaterów.

Finn wymruczał coś, co było zapewne uprzejmym podziękowaniem.

– Oto mój syn, Culloden – powiedział MacDonnell, wskazując chłopca. – A to Shanna, moja córka.

Dzieci ukłoniły się dwornie. Conor, Meilin i Abeke odpowiedzieli tym samym. Nawet Rollan zgiął się sztywno w jakiejś niezgrabnej karykaturze ukłonu. Następnie Finn przedstawił członków swojej drużyny.

– Czterech Wielkich Bestii, jak sądzę, nie muszę przedstawiać – zakończył prezentację.

– Istotnie, nie musisz! A gdzie twoja zieleń, chłopcze? – zapytał lord MacDonnell, gdy Rollan rozglądał się wokół w poszukiwaniu Essix.

Meilin trąciła kolegę łokciem, żeby mu uświadomić, że pytanie było skierowane do niego.

– A, płaszcz... – odparł Rollan. – Jestem nie tyle jednym z Zielonych Płaszczy, ile członkiem Klubu Ocalenia Erdas.

Lord MacDonnell roześmiał się serdecznie.

– Naturalnie, jak my wszyscy! A teraz jedzmy! – rozkazał i zaklaskał w dłonie.

W jednej chwili zapadła cisza jak makiem zasiał. Gwar rozmów zamarł. Muzycy nakryli struny dłońmi. Nie słychać było nawet szurania stóp na kamiennej posadzce.

Cisza była wręcz nienaturalna.

Lord MacDonnell ponownie uśmiechnął się szeroko i klasnął raz jeszcze. Potem ruszył w stronę stołu, więc muzycy rzucili się do instrumentów i zaczęli grać podniosłego marsza. Lord wziął winogrono z jednej z pater. Gdy wkładał je do ust, wzrok wszystkich na sali śledził ruch jego dłoni.

Kiedy tylko władca połknął owoc, znów rozpoczęły się rozmowy i goście zasiedli do stołów.

Musiała to być kolejna reguła obowiązującego tutaj prawa. Cisza panująca przed chwilą była jednak tak pełna napięcia, że Rollan nie mógł przestać się zastanawiać, jaka kara groziła tym, którzy odważyli się złamać prawo Glengavin.

Finn, Conor i Abeke zajęli się jedzeniem, ale Rollan i Meilin nie zasiedli wraz z nimi do stołu.

– Dziwnie tu – powiedział Rollan.

– A mnie się podoba – odparła Meilin. – Zobacz, jak doskonale wszystko jest zorganizowane. Większość przyjęć to katastrofy, a tu wszystko działa bez zarzutu. A dzieci lorda są wprost wcieleniem dobrych manier.

– Są raczej wcieleniem sługusostwa – stwierdził Rollan, obserwując dzieci, które szły krok w krok za MacDonnellem i tylko posłusznie kiwały głowami.

– To się nazywa szacunek – skomentowała Meilin. – Nie spodziewam się, że potrafiłbyś go rozpoznać.

– Przestań z tym całym... – zaczął Rollan i urwał, widząc, że lord kieruje się ku nim.

– Nie zamierzacie wziąć udziału w uczcie? – zahuczał władca swym przyjemnym barytonem. – Łosoś jest doprawdy boski.

– Właśnie podziwiamy przyjęcie – odparła gładko Meilin. – Oraz posłuszeństwo twoich dzieci.

Rollan miał już otworzyć usta, żeby sprostować, że dzieci lorda jego akurat nie zachwyciły, jednak Meilin uszczypnęła go dyskretnie w łokieć, dając mu znak, żeby milczał.

– Mój zamek, moje prawo! – zaśmiał się MacDonnell.

Meilin zachowywała się w dalszym ciągu jak idealny gość.

– Chciałabym dowiedzieć się czegoś więcej o organizacji tej wspaniałej uczty – poprosiła.

Dziewczyna tak dobrze skrywała emocje, że Rollan nie umiał stwierdzić, czy jej zainteresowanie jest prawdziwe, czy udawane.

Meilin i pan zamku udali się w stronę zastawionych stołów, ani na chwilę nie przerywając rozmowy.

Rollan zmarszczył czoło, po czym wziął jedną, jedyną kiełbaskę z samego krańca stołu. Zjadł ją, cały czas rozglądając się za Essix i obserwując salę.

Jego uwagę przyciągnęli muzycy, do których dołączył śpiewak. Razem zaintonowali znaną Rollanowi pieśń o Wielkich Bestiach, którą każdy urwis z Cordoby potrafiłby zanucić nawet przez sen. Zwrotki traktowały kolejno o wszystkich Wielkich Bestiach, a melodia była tak monotonna, że przy ostatniej z piętnastu strof większość słuchaczy gotowa była zwykle ciężko pobić osobę, która rozpoczęła pieśń.

Muzycy grali jednak tak wprawnie, co zwrotka zmieniając tonację śpiewu, że Rollan nie zdążył się znudzić. Pieśń wywołała w nim taką samą reakcję jak widok Glengavin. W tym mieście było coś hipnotycznego.

– Nie znoszę tej piosenki – powiedział do muzyków.

– Och, bardzo mi przykro – odparł śpiewak.

– Ale w waszym wykonaniu mi się podobała – dokończył Rollan. – Jesteście świetni.

Śpiewak uśmiechnął się, wdzięczny za komplement.

– Bardzo dziękuję.

Nastoletnia harfistka odezwała się zirytowanym tonem:

– Po drugiej stronie sali nikt nas nie słyszy. Jest za głośno.

Muzycy wraz z Rollanem rozejrzeli się po wielkiej komnacie. Łukowe sklepienie powinno zapewniać właściwą akustykę, ale grube gobeliny na ścianach skutecznie pochłaniały dźwięki.

– Muzyka rozchodziłaby się lepiej, gdybyście ustawili się gdzieś wyżej – zasugerował Rollan. – Na przykład nad tymi arrasami. – Wskazał niewielki, pusty balkonik.

– Tak, ale... – zaczął nieśmiało śpiewak.

– Lepiej nie – odparła kobieta z bębnem.

– Może innym razem – dodała młodziutka harfistka.

Rollan już otwierał usta, żeby skomentować ich lęk wysokości, lecz nic nie rzekł, bo dostrzegł na balkonie jakiś ruch. To była Essix. Wydawało mu się, że sokolica rozkłada skrzydła, żeby zerwać się do lotu, ale kiedy zatrzepotała się bezradnie, uświadomił sobie, że coś ją przytrzymuje. Niepokój i rozedrganie zwierzoducha udzieliły się także Rollanowi.

Muzycy podążyli za jego wzrokiem.

– Czy to Essix? – zapytała cicho harfistka.

– Tak – odparł chłopak, który nagle stracił humor. – I wydaje mi się, że w coś się zaplątała. Muszę się dostać na ten balkon i ją oswobodzić.

– Tak, ale... – zaczął nieśmiało śpiewak.

– Lepiej nie – odparła kobieta z bębnem.

– Nie. Nie powinieneś tego robić – dodała harfistka.

– Muszę – powiedział stanowczo Rollan. To, że wzbraniali mu wejścia na balkon, zaczynało go denerwować. – A co, oberwie się?

– Nie w tym rzecz – odparł śpiewak, nerwowo zerkając na lorda MacDonnella, zajętego rozmową przy stole na podeście. – Nikt nie może stać wyżej niż pan zamku. Takie jest prawo.

Rollan uważał, że wszystkie prawa były głupie, to jednak wydało mu się wprost niedorzeczne.

– Ja nie będę tam stał, tylko uwolnię Essix i zaraz zejdę.

Muzycy naradzali się przez chwilę między sobą.

– Nie – powiedziała w końcu harfistka. – Ja pójdę ją uwolnić. Ty jesteś tu gościem, nie powinieneś się narażać na takie ryzyko.

– Jakie ryzyko? – zapytał Rollan. Widok Essix machającej bezradnie skrzydłami wprawiał go w coraz większy niepokój. – Trzeba ją uwolnić! Co, jeśli jest ranna? Skoro mnie nie wolno tam wejść, czy lord sam to zrobi?

Muzycy zerknęli z przestrachem na władcę.

– Ja tam pójdę – powiedziała harfistka. Jej głos brzmiał dzielnie, ale wyglądała tak, jakby szła na ścięcie.

Dziewczyna dotarła do małych drzwi, a kiedy je otworzyła, Rollan zobaczył strome schody wiodące na balkon. Harfistka zaczęła się po nich wspinać.

Muzycy po cichu wymienili kilka słów, nerwowo wykręcając ręce.

Rollan nic z tego nie rozumiał.

Harfistka pojawiła się na balkonie nad ich głowami.

Muzycy nadal nerwowo szeptali.

Essix została uwolniona z pułapki.

Wszystko to trwało nie dłużej niż minutę.

W tej właśnie chwili lord MacDonnell, siedzący na złoconym tronie, podniósł wzrok i spojrzał na balkon.

Twarz harfistki była blada jak ściana.

Ani na moment nie odrywając oczu od dziewczyny, MacDonnell klasnął w dłonie. Tylko raz.

Natychmiast zapadła absolutna cisza.

– Czyżby moi poddani nie znali mego prawa? – zapytał surowo lord.

Nikt się nie odezwał.

– Skrybo, jaka jest szesnasta reguła wielkiej sali?

– Nikt nie będzie zasiadał wyżej niż pan zamku – powiedział chłopiec z wyglądu przypominający wiewiórkę, siedzący na końcu stołu na podwyższeniu.

Wszyscy biesiadnicy wlepiali wzrok w harfistkę, wciąż stojącą na balkonie.

– Panie mój, nie chciałam okazać braku szacunku! – krzyknęła dziewczyna. – Chciałam tylko…

– Mój zamek – odparł MacDonnell – moje prawo.

– Proszę…

– Degradacja! – krzyknął lord. – Od dziś nie jesteś już nadworną harfistką. Najpierw przez dziesięć lat będziesz pracować w kuchni, a potem możesz błagać o litość.

– Panie… – jęknęła dziewczyna, widząc, jak do drzwi na balkon zbliżają się strażnicy. – Tę harfę zrobił własnoręcznie mój ojciec.

– A teraz ty ją zniszczysz – rozkazał lord.

– Panie…

– Znałaś prawo?

Harfistka zwiesiła głowę.

Rollan czuł, że jego serce przyśpiesza. Patrzył, jak strażnicy sprowadzają dziewczynę z balkonu. Słaniając się na nogach, zeszła z nimi po schodach i stanęła przed swoim instrumentem.

– Mój zamek – powtórzył głośno lord MacDonnell – moje prawo.

I bez wyostrzonego za sprawą Essix wzroku Rollan dostrzegł, ile znaczył dla harfistki jej instrument. Gdyby choć się domyślał, jak wiele dziewczyna ryzykuje, nigdy by się nie zgodził na jej poświęcenie. Szybkim krokiem zbliżył się do stołu na podeście, czując, jak policzki palą go z gniewu i poczucia winy. Wysoko uniósł głowę.

– To moja wina – wyznał. – Dziewczyna weszła na balkon, żeby uwolnić Essix.

Lord MacDonnell uniósł brew.

– Ach, to ty. Chłopak, który chadza własnymi drogami – powiedział, po czym zamilkł na dłuższą chwilę. – W moim mieście ważne są tylko trzy rzeczy: miłość, śmierć oraz prawo Glengavin. Kara pozostaje w mocy, lecz za twoją dzielność i wzięcie na siebie odpowiedzialności pozwalam, byś siedział ze mną przy stole rycerskim. Glengavin jest domem dzielnych mężów, a ja widzę, że masz zadatki na bohatera.

Rollan zazgrzytał zębami. Ostatnie, czego chciał, to zostać nagrodzonym za własną głupotę. Wiedział, że zawinił.

Spojrzał na Meilin, siedzącą przy jednym ze stołów. Jej oczy rozbłysły i Rollan poczuł się tak, jakby znowu go uszczypnęła. Nakazywała mu wzrokiem, żeby wykonał to, czego życzy sobie lord.

Prawdopodobnie miała rację. Pan zamku, który nie zawahał się zniszczyć harfistce życia za błahostkę, zapewne wymyśliłby znacznie gorszą karę dla sieroty, który odmówił zaszczytu zajęcia miejsca za stołem rycerskim.

Rollan obejrzał się przez ramię na śpiewaka stojącego z opuszczoną głową. Poczuł, że wrze w nim krew, ale zmusił się do zachowania spokoju. „Nadejdzie dzień – pomyślał – kiedy władcy nie będą już mogli robić takich rzeczy". Na razie jednak zajął pierwsze wolne miejsce po prawicy MacDonnella. Obok lorda siedział jego syn Culloden, milczący i zajęty jedzeniem. Dalej siedziała Shanna, dłubiąc w ziemniakach na talerzu. Rollan był trzeci.

U szczytu stołu stanęli strażnicy z harfistką. Dziewczyna roztrzaskiwała instrument. Po twarzy płynęły jej łzy, drzazgi raniły jej dłonie, ale przestała błagać o litość.

Później, kiedy pod eskortą szła do kuchni z opuszczonymi z rezygnacją ramionami i zakrwawionymi rękami, lord MacDonnell odezwał się raz jeszcze, mrucząc do siebie:

– Mój zamek, moje prawo.

11

OKNO

Tej nocy w Glengavin, gdy cisza spowiła pełną wygód
komnatę gościnną, Conor miał sen. Przyśniło mu się,
że wypadł z okna do ogrodu. Z pałacu dobiegała melodia,
którą muzycy grali tuż przed tym, jak lord MacDonnell
ukarał harfistkę. Nagle piękną muzykę zmąciła fałszywa
nuta i wtedy pośród wypielęgnowanych roślin Conor dostrzegł jakieś zwierzę. Był to dzik, ogromny i budzący lęk,
pokryty szorstką szczeciną, z ogromnymi szablami wyra-
stającymi z pyska. Kiedy zwierzę odwróciło się w jego
stronę, Conor instynktownie poczuł, że nie jest to zwy-
czajny dzik.

– Rumfuss! – wykrzyknął bez zastanowienia. – Muszę
z tobą porozmawiać!

Na te słowa Rumfuss ruszył biegiem przez krzewy,
a Conor podążył za nim. Wielki dzik zatrzymał się na
chwilę, gdy znalazł się poza granicami ogrodu. Krajobraz był tam dziki i skalisty, wszędzie było też mnóstwo

zakamarków, które mogłyby stanowić dogodną kryjówkę dla jakiegoś niewielkiego zwierzęcia. Jednak Rumfuss nie zamierzał się chować. Po chwili rzucił się do niezdarnego galopu i powiódł goniącego za nim chłopca w jeszcze większą gęstwinę.

– Zaczekaj! – zawołał znowu Conor.

Nagle wyprzedziło go inne zwierzę, które wybiegło zza zasłony z fioletowych glicynii. Był to olbrzymi zając, który we śnie wydawał się Conorowi znajomy, jakby widział go nie po raz pierwszy. Potężne tylne łapy umożliwiały szarakowi poruszanie się wyjątkowo długimi skokami – raz w prawo, raz w lewo. Zwierzę uciekało z Glengavin.

Kiedy Conor spojrzał ponownie w stronę, gdzie przed momentem stał Rumfuss, już go nie zobaczył.

– Obudź się, młody wilczku!

Conor zamrugał w ciemności i dopiero po chwili uświadomił sobie, że znajduje się w komnacie. Zbudził go stłumiony głos Rollana, leżącego w sąsiednim łóżku.

– Nie śpisz? – zapytał szeptem Rollan. – Ktoś jest za oknem.

Conor obrócił się cicho na bok i zaczął nasłuchiwać. Nic nie można było zobaczyć, bo ciężkie story w oknach zasłaniały światło księżyca, ale Rollan miał rację – coś szurało po parapecie za oknem. Nie zapowiadało to niczego dobrego – ich komnata znajdowała się na wysokości czwartego piętra i nie miała balkonu.

Conor wyślizgnął się z łóżka i gestem przywołał Briggana. Wilk wstał z podłogi, spojrzał w stronę okna, zza którego znowu dobiegły odgłosy drapania, i groźnie wyszczerzył kły.

Okno było uchylone, zasłony delikatnie się poruszały.

Rollan zsunął nogi z łóżka i wyciągnął sztylet spod poduszki. Podniósł dłoń z pięcioma wyprostowanymi palcami i zaczął je kolejno zginać, odliczając bezgłośnie. Kiedy zgiął ostatni palec, wraz z Conorem złapali za zasłony i odsłonili je jednym ruchem.

Na parapecie zobaczyli postać o zmierzwionych włosach i przerażającym wyglądzie. Jej ubraniem szarpał wiatr. Ów ktoś stał niepewnie na samym skraju parapetu. Za nim była tylko kilkunastometrowa przepaść.

– Meilin? – wykrztusił zdumiony Conor.

To rzeczywiście była ona. Chwiała się na krawędzi. Oczy miała zamknięte. Niemo poruszała ustami. Po jej policzkach spływały łzy. W tym stanie ledwo można było ją rozpoznać.

– Ona lunatykuje! – zrozumiał przerażony Conor. – Łap ją!

Razem chwycili dziewczynę za ręce i wciągnęli do komnaty. Meilin z głośnym pacnięciem wylądowała na podłodze, jęknęła i pokręciła głową.

– Obudź się – powiedział łagodnie Conor, potrząsając koleżankę za ramię.

Zapłakana dziewczyna nie przypominała tej Meilin, którą znali. Świadomość, że jej ojciec zaginął, a rodzinne miasto zostało zniszczone, musiała być dla niej bolesna. Miejsce, które uważała za swój dom, przestało istnieć.

Rollan nachylił się z troską nad koleżanką. Kiedy jednak się zorientował, że Conor mu się przygląda, szybko przywołał na twarz uśmiech i wykrzyknął:

– Właśnie, pobudka!

Potem wziął z nocnego stolika dzbanek z wodą i wylał jego zawartość na głowę Meilin. Dziewczyna wydała z siebie okrzyk oburzenia i zerwała się na równe nogi. Z ociekającymi wodą włosami przycisnęła Rollana do ściany i złapała go za gardło.

– Nie spałam – warknęła. – Conor mnie obudził.

Rollan uśmiechnął się bezczelnie.

– Wiem – przyznał.

Meilin wymierzyła mu policzek, po czym powiedziała do Conora:

– Dziękuję, że wciągnąłeś mnie do środka.

– Hej, ja też pomogłem! – zauważył Rollan, ale dziewczyna nawet na niego nie spojrzała.

– Co się stało? – zapytał Conor. – Co tam robiłaś?

Meilin podsyciła ogień w kominku, żeby płomienie rozjaśniły nieco komnatę. Podeszła do okna i zerknęła w dół. Na jawie wysokość zrobiła na niej spore wrażenie.

– Nasz pokój jest tam. – Dziewczyna wskazała najbliższe okno na następnym piętrze. – Chyba lunatykowałam. Miałam sen…

– Śniło ci się, że jesteś pająkiem? – spytał Rollan, podchodząc do niej. Ślad dłoni Meilin na jego policzku płonął jasną czerwienią. – Żeby się tu dostać, musiałaś chyba spuścić się po nici.

– Tam jest mały gzyms – zauważył Conor. – Masz szczęście, że nie spadłaś. Nie mogę uwierzyć, że zrobiłaś to wszystko we śnie.

Nie chciał komentować tego, że na policzkach koleżanki wciąż widoczne są ślady łez, bo był pewien, że zawstydzi i ją, i siebie. Przecież na jawie Meilin nigdy nie płakała.

Rollan otworzył usta, ale szybko je zamknął. Wściekły wyraz twarzy Meilin świadczył o tym, że spodziewała się po nim jakiejś niestosownej uwagi.

– Wracam do łóżka – powiedział Rollan. – Moje łóżko jest moim najlepszym przyjacielem. A wy róbcie, co chcecie. – Po tych słowach zakopał się w pościeli.

– Dobry pomysł – odparła Meilin i położyła dłoń na klamce. – Przed nami cały dzień poszukiwań Rumfussa.

– Uważaj na siebie – rzekł na pożegnanie Conor.

Rollan zsunął koc z twarzy, żeby spytać złośliwie:

– Jesteś pewna, że nie chcesz wyjść przez okno?

Meilin rzuciła mu przez ramię miażdżące spojrzenie i wyślizgnęła się na korytarz.

– Mój zamek, moje prawo – wymruczał Rollan, zasypiając.

12

GŁOSY

Abeke obudziła się przed świtem. Komnatę nadal spowijał granatowy półmrok, choć słychać było już śpiew ptaków. Zanim dziewczyna zdołała na dobre otrząsnąć się ze snu, dostrzegła, że drzwi są uchylone i że właśnie znika za nimi coś, co podejrzanie przypominało ogon Urazy. Reszta ciała kocicy zapewne była już na korytarzu.

Abeke wstała z łóżka i zamrugała półprzytomnie. Czy naprawdę widziała wychodzącą lamparcicę? Po chwili usłyszała cichutkie dreptanie i zobaczyła czarną sylwetkę Kunayi, która także wyślizgnęła się za drzwi.

– Uraza! – syknęła Abeke, zerkając na stertę koców, pod którymi leżała Meilin, pogrążona we śnie.

Nocne spacery po zamku nie były dobrym pomysłem, ale lamparcica nie wracała.

– Sośdzieje? – wymruczała sennym głosem Meilin.

– Uraza wyszła z komnaty – odparła szeptem Abeke. – Idę za nią.

– Pomussi? – Meilin, choć nadal na wpół pogrążona we śnie, pomyślała, że za przechadzką o tak nietypowej porze muszą się kryć jakieś ciemne sprawki.

– Dam sobie radę.

– Dobrz – szepnęła Meilin i opuściła głowę na poduszkę.

Abeke ruszyła korytarzem. Wyczuwała nikły zapach pieczonego chleba – piekarze zawsze wstawali wcześnie. Może to właśnie wywabiło lamparcicę z komnaty? Dopiero po chwili zauważyła dwie kocie sylwetki znikające za rogiem.

– Uraza!

Nie odważyła się zawołać lamparcicy ponownie, bo jeśli prawo zabraniało pozostawiania otwartych drzwi, z pewnością istniał też przepis zabraniający skradania się po ciemku. Jednak Abeke nie miała wyboru – musiała podążyć w ślad za swoimi kotami.

Po obu stronach wysokiego korytarza ciągnęły się rzędy zamkniętych drzwi. Co kilka metrów znajdowały się wnęki, w których stały niezwykłe ozdoby, na przykład delikatnie rzeźbiona fontanna, sączącą strużki wody, klatka ze śpiącymi kanarkami, miękko wyściełany fotel o nogach rzeźbionych w kształcie lwich łap, a nawet drzewko obsypane białymi kwiatami.

Uraza zatrzymała się na następnym zakręcie korytarza i wbiła w dziewczynę spojrzenie swoich fioletowych oczu. Chciała dać Abeke do zrozumienia, że nie jest nieposłuszna. Wcale nie wybrała się na samowolną przechadzkę po zamku, tylko chciała ją gdzieś zaprowadzić.

Trzymając się nisko, Abeke bezszelestnie dołączyła do Urazy. Razem z dwiema kocicami mijała czarne prostokąty zamkniętych drzwi.

Lamparcica szła dosyć wolno, węsząc i zatrzymując się co chwila, więc Abeke się domyśliła, że Uraza nie jest do końca pewna, dokąd idzie i czego szuka.

W korytarzu zrobiło się jaśniej. Abeke zdała sobie sprawę, że słyszy stłumione głosy, dobiegające zza którychś z wielu drzwi. Wijący się ogon Urazy wskazywał na to, że wpadła na trop. Jeszcze przez jakiś czas błądziły w korytarzach, starając się zbliżyć do źródła dźwięków, aż w końcu trafiły do pustego, długiego i wąskiego pomieszczenia z umywalkami. Przez duże okno na jego końcu wpadało do wewnątrz światło poranka, zadziwiająco mocne i jaskrawe. Z jednej ze ścian wystawał rząd kranów w kształcie głów zwierząt przeróżnych gatunków. Pod przeciwległą ścianą zaś, na długim regale leżały płaszcze kąpielowe, ubrania i flakony z różnymi pachnidłami.

Abeke przyłożyła ucho do ściany z umywalkami, dzięki czemu lepiej słyszała rozmowę toczącą się w sąsiedniej komnacie.

– Słuchajcie – powiedział znajomy głos. – Lord MacDonnell jest bez wątpienia trochę szalony, ale my nie zostaniemy tu przecież długo. Musimy jedynie znaleźć Rumfussa i dziewczynę, a potem wynieść się z zamku, zanim jego władca znów przypomni wszystkim, że panuje w nim jego prawo.

– Tylko jak mamy przekonać Rumfussa, żeby oddał nam talizman? – zapytał inny głos, również znajomy, z wyraźnym akcentem z Nilo.

W jednej chwili Abeke zrozumiała, kogo podsłuchuje i dlaczego Urazie zależało, żeby za nią poszła. To byli Devin i Karmo.

– Oddał? – prychnął wzgardliwie Devin. – Spójrz tylko na nasze zwierzoduchy! Sami odbierzemy mu amulet.

„Musieli dotrzeć do Glengavin nocą" – pomyślała Abeke. Odsunęła się od ściany i szybko wyszła z umywalni. Musiała natychmiast opowiedzieć o wszystkim pozostałym członkom drużyny.

Kiedy jednak zbliżała się do załomu korytarza, stanęła jak wryta, bo znalazła się twarzą w twarz z Devinem Trunswickiem, Uraza zaś miała tuż przed sobą Eldę, jego czarną panterę. Dalej stali wysoki, ciemnoskóry Karmo i jego ptak impundulu. Głowa ptaka razem z dziobem była niemal tej długości co ramię chłopaka.

W jednej chwili Abeke porwała duży flakon perfum ze stolika stojącego pod ścianą. Nauka walki improwizowaną bronią nie poszła w las.

– O, Abeke – powiedział Devin z chytrym uśmieszkiem, który zapewne podpatrzył u Zerifa. Zachowywał się tak, jakby w ogóle nie przejmował się tym, że zaraz oberwie w głowę buteleczką perfum. – Nie bój się, nie zamierzamy cię zabijać. Nie uwierzysz, ale właśnie o tobie rozmawialiśmy.

– Jak się tu dostaliście? – zapytała ostro Abeke.

– Glengavin to miejsce dzielnych mężów – powiedział donośnym głosem Devin, przedrzeźniając lorda MacDonnella. Gestem wskazał swoją panterę, młócącą powietrze ogonem. – Dzięki Eldzie stałem się bohaterem. Jestem bardzo lubiany w Eurze.

– Akurat w tym korytarzu niespecjalnie – odparła Abeke i ruchem głowy wskazała towarzysza Devina. – Co to za jeden?

– To Karmo, mój przyjaciel. On też jest z Nilo, jak ty.

„Wiem" – pomyślała smutno Abeke, czując nagły przypływ tęsknoty za domem.

Karmo przyglądał im się spod opuszczonych powiek, jakby wcale nie uważał się za przyjaciela Devina.

– Przybyłem tu, żeby z tobą porozmawiać – odezwał się wreszcie. – Wróć do nas. Wróć do Nilo. Nasz lud nas potrzebuje. Potrzebuje symboli nadziei.

Zaskoczona Abeke aż zamrugała z wrażenia. Czy to właśnie o niej wspominali w rozmowie, którą dopiero co podsłuchała?

– Co takiego? Nie ma mowy, nie przyłączę się was. Dość już widziałam, żeby mieć pewność, kto walczy o ideały, w które sama wierzę. Słuszność jest po stronie Zielonych Płaszczy – odparła zdecydowanie.

Karmo uniósł ciemną brew. Był bardzo przystojny. Abeke pomyślała, że jej siostra, Soama, zapewne szybko straciłaby dla niego głowę.

– Doprawdy? – zapytał.

Abeke skinęła.

– Miałam wiele szczęścia, że pozwolili mi do siebie dołączyć. W przeciwieństwie do waszego pana, Zerifa, Zielone Płaszcze wiedzą, czym jest przebaczenie.

Devin prychnął i rzucił:

– Dobrze wiesz, że nie mogli cię zabić. Twoim zwierzoduchem jest Uraza. Jesteś im potrzebna żywa.

Abeke nie podobała się ta rozmowa. Za nic nie stanęłaby znowu po stronie Zdobywców, ale poczuła, że ma w głowie mętlik. Z bólem przypomniała sobie o Shanie, przyjacielu, którego musiała porzucić.

– Nie przekonasz mnie, Devin. Mój zwierzoduch już wybrał.

– A co, jeśli Uraza się myli? – zapytał łagodnie Karmo.

– Wielkie Bestie nigdy się nie mylą! – odparła ostro Abeke.

Ton jej głosu sprawił, że Uraza, stojąca u jej boku, zawarczała. Abeke poczuła, że zaczęła ją wypełniać moc zwierzoducha, który szykował się do walki. Mięśnie lamparcicy były napięte jak struny.

Elda opuściła nisko głowę i mocniej machnęła ogonem, groźnie jeżąc sierść czarną jak atrament. Pazury impundulu zgrzytnęły o posadzkę. Atmosfera szybko się zagęszczała.

– Wielkim Bestiom zdarza się mylić – powiedział Karmo. – Może mają dobre intencje, ale nie są nieomylne, tak jak ludzie. Przecież wszyscy jesteśmy tu po to, żeby odnaleźć jedną z Wielkich Bestii, która ucieka i przed nami, i przed wami.

Abekc bardzo nie chciała przyznawać mu racji. Przecież Uraza, w przeciwieństwie do Rumfussa, stanęła do walki i była gotowa zginąć za swoje przekonania.

– Abeke, przybyłem tu po to, żeby nakłonić cię do powrotu do domu i żebyśmy razem mogli poprowadzić Nilo ku lepszej przyszłości – powtórzył Karmo i wyciągnął do niej rękę. – Pójdziesz ze mną?

Jego głos był taki łagodny, taki miły. Jednak tuż obok chłopaka stał w groźnej postawie impundulu, z uniesioną jedną nogą i półotwartym dziobem.

– Ja już wybrałam – odparła szorstko Abeke.

Devin wzruszył ramionami.

– Tak czy inaczej, pójdziesz z nami. Karmo?

Abeke zamachnęła się flakonem na młodego Trunswicka. W tej samej chwili Uraza skoczyła na Eldę. Devin wydał zduszony okrzyk i umiejętnie zablokował cios. Karmo patrzył na to wszystko ze spokojem. Kiedy Abeke uniosła butelkę do drugiego ciosu, impundulu zatrzepotał skrzydłami, poderwał się z ziemi i rzucił się na dziewczynę.

Uderzeniu ptasich szponów towarzyszył nagły rozbłysk światła. Nie był to zwykły cios – to był wstrząs. Abeke poczuła, jak drętwieją jej ręce i nogi. Zaraz potem Karmo znalazł się za jej plecami i wykręcił jej ręce do tyłu. Znikąd zjawiła się Kunaya, która otarła się o nogi Abeke, miaucząc przy tym żałośnie. Z korytarza za plecami dziewczyny dobiegały odgłosy walki. To Uraza wymieniała ciosy z Eldą. Lamparcica była silniejsza i musiała zwyciężyć w tym starciu, choć czarna pantera była od niej większa. Ale co dalej?

Abeke miała teraz przeciwko sobie troje nieprzyjaciół: dwóch ludzi i zwierzoducha o niezwykłych zdolnościach. Chciała zawołać o pomoc, ale wtedy Devin zatkał jej usta ręcznikiem.

– Uśpij lamparcicę – nakazał. – Uśpij ją albo poderżnę ci gardło.

Abeke nie miała wyboru. Z rezygnacją wyciągnęła przed siebie rękę i w błysku światła Uraza stała się tatuażem widocznym na jej przedramieniu, tuż obok przytrzymującej ją dłoni Karmo.

– Proponowałem łatwiejsze wyjście – powiedział Karmo do ucha Abeke.

Devin wyciągnął rękę i Elda momentalnie wykonała jego bezgłośne polecenie, przechodząc w stan uśpienia.

– Nie martw się tak, Abeke – rzucił Devin. – Przecież wracasz do domu.

13

LORD MACDONNELL

Meilin podobało się w Glengavin, ponieważ ceniła porządek. Pozostałe dzieci były przerażone tym, co ubiegłego wieczoru spotkało harfistkę. Jedynie Meilin potrafiła zrozumieć lorda MacDonnella. Harfistka znała prawo. Mogła poinformować władcę o zaistniałej sytuacji i pozwolić mu znaleźć rozwiązanie.

– Skoro tak go lubisz, przekonaj go, żeby pozwolił nam porozmawiać z Rumfussem – rzucił Rollan podczas śniadania, które zachwycało obfitością i różnorodnością dań.

Meilin ugryzła z elegancją racuch, przeżuła kęs i przełknęła, a dopiero potem odpowiedziała na pytanie:

– Taki mam zamiar.

Finn, siedzący po przeciwnej stronie długiego i niemal całkowicie pustego stołu, podniósł głowę znad talerza.

– Prawa gościny są na północy bardzo ważne. Nie możemy uczynić nic wbrew woli MacDonnella. Jeśli chcemy otrzymać pozwolenie na rozmowę z Rumfussem, będziemy musieli przekonać władcę, że jesteśmy tego godni – stwierdził. – Gdzie jest Abeke?

Meilin zadawała sobie to samo pytanie. Abeke nie wróciła z nocnej wyprawy w poszukiwaniu Urazy. Być może wpadła w jakieś tarapaty. Istniała również możliwość, że postanowiła samodzielnie zapolować na Rumfussa. Albo też wykonywała jakieś zadanie zlecone przez Zdobywców.

Meilin nie miała pojęcia, jak wiele czasu musi jeszcze minąć, zanim zdoła zaufać Abeke. Na razie upłynęło go za mało.

– Wyszła wcześnie rano i dotąd nie wróciła – odparła.

Finn zmrużył oczy w namyśle.

– To niepokojące. Meilin, może razem z Conorem i Rollanem pójdziecie porozmawiać z MacDonnellem? Ja w tym czasie poszukam Abeke. To zadanie będzie mniej ryzykowne dla mnie niż dla was, bo znam zwyczaje panujące w zamku.

– Tylko co właściwie mamy robić? – chciał wiedzieć Rollan. – Użyć wdzięku i uroku osobistego?

W tej właśnie chwili pan zamku wszedł do sali. Meilin przygładziła włosy i wstała.

– Och, z tym akurat nie będzie problemu – powiedziała, po czym odezwała się głośniej: – Dzień dobry, lordzie MacDonnell!

Ukradkowym gestem pokazała pozostałym, żeby poszli za nią.

Pan zamku sprawiał wrażenie uradowanego widokiem młodych gości.

– Jak ci się podoba twój kilt, Conorze? Bardzo dobrze się w nim prezentujesz! – zahuczał. – Pasowałbyś tu, do Glengavin. Twój wilk zresztą też.

– Briggan nie należy do mnie, lordzie – odparł Conor. – Jeśli już, to raczej ja należę do niego.

– A gdzież on się podziewa w ten piękny poranek?

Conor pokazał przedramię, na którym widniał tatuaż przedstawiający wilka w skoku.

– Ależ wypuść go! – rzekł lord, a jego słowa zabrzmiały jak rozkaz.

Rozbłysło światło i Conor uwolnił Briggana, który był w nastroju do żartów, więc zaczął się domagać uwagi. Chwycił rękę chłopca zębami i choć wyglądało to tak, jakby Conor miał zaraz stracić palce, była to tylko zabawa.

Meilin zerknęła na MacDonnella, żeby sprawdzić, jakie wrażenie zrobiły na nim kły wilka. Z twarzy lorda zniknęła na moment wesołość, kiedy jednak władca zauważył, że dziewczyna mu się przygląda, znów przywołał swoją zwykłą, jowialną minę.

– Z jakiego rodu pochodzisz, chłopcze? – zapytał.

– Nie jestem szlachetnie urodzony, panie. – Conor tak się zaczerwienił, że Meilin zrobiło się go żal. – Jestem tylko synem owczarza.

– To żaden powód do wstydu – odparł MacDonnell. – Jak nazywa się twój ojciec?

– Fenray.

– Gdybyś się urodził w Glengavin, nazywałbyś się Conor MacFenray. „Mac" znaczy „syn".

– Conor MacFenray – powiedział na próbę Conor.

– Mógłbyś sam wybrać sobie nazwisko – wtrącił się Rollan. – Kto powiedział, że musisz mieć je po swoim ojcu? Ja na przykład nazwałbym się Najmocarniejszy. Rollan Najmocarniejszy. Albo Rollan Sokolnik.

Meilin i Conor unieśli jednocześnie brwi – Rollanowi daleko jeszcze było do sokolnika.

Lord MacDonnell zahuczał basowym śmiechem i wyprowadził młodych gości wraz z Brigganem na otwarty dziedziniec, leżący w samym sercu Glengavin. Tam, na trawniku wśród kamiennych krużganków, trenowało ponad czterdziestu żołnierzy, odzianych w kilty. Gdyby jednak władca sam nie wyjaśnił, co się dzieje, Meilin nigdy by się nie domyśliła, czym zajmują się wojownicy. Zamiast bowiem ćwiczyć się w walce, przepisywali nuty do ozdobnych ksiąg, grali na harfach i lutniach oraz recytowali ballady. Zaledwie kilku z nich towarzyszyły zwierzoduchy i te również ochoczo uczestniczyły w niezwykłych ćwiczeniach. Meilin widziała mężczyznę robiącego na drutach skomplikowaną dzianinę, którą dla wygody rozpostarł na potężnych rogach wyjątkowo cierpliwej, kudłatej krowy górskiej. Inny żołnierz grał na harfie w duecie ze swoim gronostajem: zwierzoduch trącał niskie struny, mężczyzna zaś wysokie.

– Na pikantne skrzydełka kurcząt! – zdziwił się Rollan. – Do czego oni się tu przygotowują? Do przemiany w księżniczki?

– Do wojny – odparł poważnie MacDonnell.

185

– Wojny z księżniczkami?

– Wojna niczemu nie służy, jeśli ludzie nie potrafią żyć w pokoju – zahuczał lord. – Jeszcze całkiem niedawno Glengavin słynęło z najlepszego wojska w całej Eurze, ale nasze umiejętności przyniosły nam jedynie zgubę. Wojna prawie nas zniszczyła. Zabijaliśmy się bez powodu, dla chwały lub żeby zdobyć bydło. Byliśmy wielkimi wojownikami, ale nie wiedzieliśmy, jak spożytkować czas pokoju.

Meilin uniosła jedną brew. Pomyślała, że Finnowi te słowa pewnie by się spodobały.

– Zajęliście się więc sztuką – wywnioskowała.

– Właśnie – przytaknął MacDonnell. – Teraz dzielimy czas równo pomiędzy naukę sztuk i ćwiczenia fizyczne.

– Piękna historia – odezwał się Rollan. – A co z muzykami? Tymi z wczorajszego wieczoru, którzy teraz szorują garnki w kuchni.

„Jesteś bezczelny, Rollan – pomyślała rozgniewana Meilin. – Uważaj".

Lord jednak odpowiedział na pytanie:

– Brak porządku i reguł prowadzi do wojen, a ja nie będę ryzykował kolejnych konfliktów. Mój zamek, moje prawo. Nietrudno przestrzegać mojego prawa.

Cała grupa zatrzymała się na chwilę, żeby przyjrzeć się rozgrywce szachowej prowadzonej przez dwóch roześmianych żołnierzy.

– A wy, młodzi bohaterowie? Będziecie wiedzieli, co robić, gdy wojna już się skończy? Czas dzieciństwa spędzacie, próbując ocalić świat. Co ze sobą poczniecie, gdy już go ocalicie? – spytał lord.

– To byłaby pełnia szczęścia – odparła Meilin.

– Ja wiem, co wtedy zrobię – powiedział Conor. – Wrócę do rodziny z pieniędzmi i pospłacam długi. A potem razem z braćmi zajmę się pasaniem owiec, tak jak nasz ojciec.

„Nie, Conor – westchnęła w duchu Meilin. – Zapominasz o Brigganie. Nie możesz zabrać wilka między owce".

Rollan na chwilę pochwycił jej wzrok i Meilin zrozumiała, że pomyślał o tym samym.

– Panie – odezwała się Meilin – skoro już rozmawiamy o ratowaniu świata… Chodzi o Wielką Bestię, Rumfussa. Plotki głoszą, że jest zamknięty w twoich ogrodach.

Lord MacDonnell wpatrywał się przez dłuższą chwilę w szachistów pochłoniętych grą, po czym odwrócił się do dziewczyny.

– Rzeczywiście, tak właśnie jest – powiedział tonem tak naturalnym, jakby oznajmiał „zanosi się na deszcz" lub „włożyłem dziś nowe buty".

Meilin starała się mówić spokojnie.

– Bardzo byśmy chcieli z nim porozmawiać.

Lord pokręcił głową.

– Tylko mnie jednemu wolno tropić zwierzynę w zamkowych ogrodach. Nawet jeżeli celem polowania jest jedynie rozmowa z Wielką Bestią. Tak jest lepiej. Rumfuss to humorzasty samotnik. Najprawdopodobniej spotkanie z nim skończyłoby się to dla was stratowaniem.

– To bardzo ważne, żebyśmy z nim porozmawiali – wtrącił Conor. – Po to przebyliśmy tak długą drogę.

– Po talizmany. Po moc Wielkich Bestii. Po broń do walki z najeźdźcami – powiedział lekceważąco MacDonnell, jakby nie dawał wiary tym zapewnieniom. – Wczorajszego wieczoru Finn mi wyjaśnił, dlaczego szukacie Rumfussa. Moim zdaniem Zielone Płaszcze się mylą. Żadne ludzkie działania nie mogą odbudować nadwerężonych więzi ze zwierzoduchami. Pewnych rzeczy po prostu nie da się naprawić.

– Skąd ta pewność? – zapytała Meilin.

Lord na moment zmarszczył czoło, złożył palce obu dłoni w piramidkę.

– Coś wam opowiem. Gdy byłem chłopcem, zachowywałem się dumnie i okrutnie. Byłem synem wojowniczego władcy. Wiedziałem, kim jestem i co mnie czeka. – Jego spojrzenie stało się zamglone i nieobecne. – Marzyłem o zwierzęciu, które stanie się moim zwierzoduchem. Na północy jest wiele takich stworzeń, które przyniosłyby mi chwałę, gdyby odpowiedziały na wezwanie. Kiedy jednak nadszedł czas Ceremonii Nektaru, nie przywołałem ani wielkiego brytana, ani konia, ani choćby zajadłego borsuka. Przyzwałem zająca.

Meilin przypomniała sobie własną Ceremonię Nektaru, przede wszystkim rozczarowanie i zdumienie, jakie ją ogarnęły na widok nieporadnej pandy.

– Byłem naprawdę wściekły – snuł swoją opowieść MacDonnell. – Zając! Przecież to przerośnięty królik! –

Zwiesił głowę i Meilin uświadomiła sobie, że na jego twarzy maluje się wstyd. Lord przez dłuższą chwilę szukał właściwych słów. – Dręczyłem swojego zwierzoducha – wyznał po przerwie. – W lepsze dni tylko go lekceważyłem, w gorsze szydziłem z niego i drwiłem. Wiedziałem, że postępuję podle, ale nie dbałem o to. Chyba chciałem, aby mnie zaatakował, aby dowiódł tym swojej wartości. Mój zwierzoduch był jednak absolutnie lojalny. Przyjmował moje okrutne słowa i spełniał moje życzenia nie jak zwierzoduch, ale jak sługa. Kiedy się obudziłem pewnego ranka, nie było go. Swoim zachowaniem zmusiłem mojego zwierzoducha, aby mnie opuścił. Od tamtej pory zieje we mnie pustka, której nic nie może zapełnić. Wszelkie radości i rozrywki wydają mi się bezcelowe. Nigdy już się nie dowiem, czego mógłbym dokonać wraz z moim zającem. Nadal przewodzę mojemu ludowi, jednak nic już tak naprawdę nie ma dla mnie znaczenia. Jestem tylko cieniem człowieka, którym byłem niegdyś.

„Nigdy nie pozwolę, żeby to samo stało się ze mną i Jhi – obiecała sobie Meilin. – Muszę ją lepiej traktować".

– Rolą władcy – kontynuował lord, prostując się – jest planowanie tego, co chce osiągnąć w przyszłości, nie zaś rozpamiętywanie przeszłości. – Urwał i wskazał szachownicę. – Tego właśnie uczy ta gra. Uczę moich ludzi, aby stali się jej mistrzami, aby mogli odnieść sukces w tym, w czym ja poniosłem porażkę.

– Szachy? – prychnął Rollan. – Szachy nauczyły mnie tylko jednego: że lepiej gram w karty.

MacDonnell zignorował jego słowa i odwrócił się do Conora.

– Rozegramy partyjkę? – zaproponował.

Conor wlepił w niego przerażone spojrzenie.

– Och, ja… nie jestem zbyt dobry…

Ale lord siadał już przy jednym z wolnych stolików szachowych, starannie układając fałdy kiltu, żeby nic wstydliwego nie ujrzało światła dnia.

– Jak już mówiłem – dodał – Briggan jest wielkim przywódcą. A ta gra jest umiejętnością, którą powinien sobie przyswoić każdy wielki przywódca.

– Dasz radę, Conor – dodała koledze otuchy Meilin, choć w głowie miała jedną myśl: „Tylko nie on!".

W ich drużynie jedynie Rollan był gorzej wykształcony od Conora, ale przynajmniej posiadał spryt ulicznika. Czego Conor mógł się nauczyć o strategii i dowodzeniu podczas pasania owiec? Przez niego mieli teraz stracić szanse na rozmowę z Rumfussem.

– Przyzwałeś samego Briggana, chłopcze – ciągnął MacDonnell. – A to oznacza, że twoim przeznaczeniem jest stanie się wielkim przywódcą. Zaczynaj.

Conor przesunął pionka po pięknie wymalowanej szachownicy, a lord zaatakował skoczkiem. Chłopak poruszył kolejnego pionka i dwa ruchy później stracił go na rzecz przeciwnika. Użył damy, żeby się bronić. W odpowiedzi MacDonnell zbił jednego z jego gońców. Conor wysuwał kolejne figury przeciw królowi lorda, a ten spokojnie je zbijał.

Po chwili było po wszystkim i MacDonnell dał Conorowi mata.

– Nie tym razem, Conorze – skomentował, wstając od stolika.

„Wiedziałam… – pomyślała Meilin. – Mogłabym go pokonać z zamkniętymi oczami! Dlaczego muszę być częścią zespołu, w którym wszyscy są ode mnie we wszystkim gorsi?"

– Proszę, panie – odezwała się. – Powinniśmy porozmawiać z Rumfussem. Gdybym mogła…

– Nie – uciął lord. – I nie proście mnie o nic już dzisiaj.

Tymczasem na dziedziniec wszedł Finn. Ku zaskoczeniu Meilin nie było z nim Abeke. Niósł tylko jej uprzykrzoną kotkę Kunayę.

– Abeke zniknęła – powiedział. – Znalazłem tylko kota.

– Wiedziałam… – nie wytrzymała Meilin.

– Patrzcie – przerwał jej Finn, wskazując szyję Kunayi, na której ktoś zawiązał sznurek. Nie, nie sznurek. Bransoletkę Abeke, tę z włosia z ogona słonia. Na bransoletce było zawiązanych kilka supełków. – To wiadomość.

– O czym mówi? – zapytał Conor.

Twarz Finna była bardzo poważna.

– „Na pomoc" – rozszyfrował. – I dalej: „Devin poluje na Rumfussa".

14

POLOWANIE

Poluje? – zapytał powoli lord MacDonnell takim tonem, jakby przed chwilą usłyszał dowcip i nie zrozumiał jego puenty.

Finn powtórzył zaszyfrowaną wiadomość. Wyraz twarzy MacDonnella nie uległ zmianie, ale gdy władca odezwał się ponownie w jego głosie brzmiały mroczne nuty.

– Poluje? W moich ogrodach, gdzie tylko mnie jednemu wolno polować? – wysyczał przez zaciśnięte wargi. – To nadużycie mojej gościnności i łamanie prawa!

– W dodatku pojmali Abeke! – dodał Rollan, zirytowany tym, że najwyraźniej lord uważał polowanie w swoich ogrodach za poważniejsze wykroczenie niż porwanie gościa. – Dlaczego tu jeszcze stoimy? Musimy jej pomóc!

– Nie zamierzam pozwolić na to, aby ktoś jeszcze złamał moje prawo i polował na mojej ziemi – powiedział MacDonnell takim tonem, jakby mówił rzecz najzupełniej oczywistą. – Moi żołnierze ich schwytają. Młody Trunswick nie opuści Glengavin.

– Trunswick ma ze sobą czarną panterę – stwierdził cicho Finn. – Nawet jeśli uda się go złapać, nie obejdzie się bez ofiar wśród twoich żołnierzy.

Wskazał wojowników, którzy byli zajęci udawaniem, że wcale nie podsłuchują rozmowy. Szło im nie najlepiej, czego dowodem był żołnierz zajęty dzierganiem, który przez nieuwagę wplótł w swoją robótkę sierść kudłatej krowy górskiej i nitki z własnego rękawa.

MacDonnell zdążył już unieść ręce, żeby zaklaskać i tym samym dać sygnał wojownikom, teraz jednak się zawahał.

– Groźba ataku Zdobywców wisi nad Eurą. Być może lada dzień przyjdzie wam, panie, bronić Glengavin przed wrogami. Czy w takiej chwili warto niepotrzebnie ryzykować życie twoich żołnierzy? – powiedział Conor, po czym sięgnął ku szachownicy. Dotknął palcem króla należącego do MacDonnella i popchnął go w stronę mężczyzny.

Lord wciągnął głęboko powietrze, przez co jego i tak szerokie bary wydały się jeszcze potężniejsze.

– Mądre posunięcie, chłopcze. Briggan najwyraźniej sprawia, że stajesz się dobrym przywódcą, choć szachistą zbyt dobrym nie jesteś. Co jednak pomyśli mój lud, jeżeli pozwolę wam na złamanie moich praw?

– A gdybyśmy wyświadczyli ci w zamian jakąś przysługę, panie? – zaproponował Conor.

– Na przykład jaką? – zaciekawił się lord. – Nie potrzebuję waszych pieniędzy…

Conor zmarszczył czoło w zamyśleniu.

– Zając – powiedziała nagle Meilin. – A gdyby udało nam się znaleźć twojego zwierzoducha, lordzie?

– Zając w zamian za Devina Trunswicka i Rumfussa? – MacDonnell spojrzał na nią z zainteresowaniem. – Zgoda. Ale ostrzegam: Rumfuss nie jest przyjaznym stworzeniem. Nawet jeżeli uda wam się go odnaleźć, wątpię, by zechciał z wami rozmawiać. Jeśli chcecie, możecie zaopatrzyć się w oręż w mojej zbrojowni.

– Coś wymyślimy – zapewnił Rollan i obrócił się na pięcie. – Mogę pożyczyć? – zapytał, podchodząc znienacka do żołnierza, który splątał w robótce sierść krowy i nici z rękawa, i złapał rękojeść jego miecza.

Kiedy mężczyzna spróbował powstrzymać Rollana, krowa zamuczała z irytacją i szybko odciągnęła swojego towarzysza w przeciwną stronę.

MacDonnell wyglądał na przejętego tym, że miałby odzyskać swojego zwierzoducha. Polecił strażnikowi, żeby zaprowadził drużynę do ogrodów. Szli przez dziedziniec zamku i dalej, szeroką klatką schodową w dół, aż na duże tarasy. Kiedy zobaczyli ogrody w całej ich rozciągłości, Rollan musiał ukryć zaskoczenie. Słowo „ogród” kojarzyło mu się z grządkami kwiatów, może z jakimś drzewem. W ogrodach bardzo eleganckich nie zdziwiłby go widok fontanny. Teraz miał przed sobą wszystkie te elementy, tyle że zwielokrotnione po tysiąckroć.

Tereny zielone ciągnęły się aż po horyzont. Najodleglejsza ich część była pasmem szarości, zlewającym się barwą z niebem. Gdzieś tam musiał się znajdować mur, który zagradzał Rumfussowi drogę na wolność, ale Rollan nie był w stanie niczego dostrzec spomiędzy gęsto rosnących drzew, zasłon powoju oraz klombów pełnych kwiatów tak bujnych i różnorodnych, że z daleka przypominały wspaniałe suknie balowe wysypujące się kaskadami z kufrów wielkich dam.

– Dobra. Od czego zaczniemy? – chciał wiedzieć Rollan. – Od zająca, Abeke czy Rumfussa?

– Przyśnił mi się zając – powiedział Conor. – Chyba wiem, gdzie go szukać. Finn, my dwaj poszukamy zająca. Meilin i Rollan, znajdźcie Abeke.

Conor z Finnem udali się w głąb ogrodu, gdzie – jeśli wierzyć snom – ukrywał się zając. Rollan i Meilin ruszyli przeszukać okolice zamku, gdzie mieli nadzieję trafić na ślad porwanej towarzyszki. Meilin już rozważała na głos różne możliwości.

– Wokół zamku nie ma chyba żadnego miejsca, w którym można by przetrzymywać Abeke. A to oznacza, że musi być gdzieś w środku.

– Raczej nie w pokojach gościnnych – odparł Rollan. – Nawet Devin Trunswick nie jest przecież aż tak głupi.

Kunaya kilkukrotnie otarła się o nogi Meilin. Dziewczyna obrzuciła ją zirytowanym spojrzeniem.

– Może jest w jakiejś szafie? Albo w pustej komnacie? Dlaczego wszystkie drzwi w tym zamku muszą być zamknięte? Kunaya, przestań się o mnie ocierać!

W tej właśnie chwili kotka capnęła ją w nogę. Dziewczyna syknęła. Rollan wyszczerzył zęby w uśmiechu.

– Durny kot! – warknęła Meilin.

Nagle Rollan poczuł przebłysk intuicji. Tak silny, że nie miał wątpliwości, że Essix musi być w pobliżu.

– Może wcale nie taki durny – powiedział. – Kunaya widziała Abeke jako ostatnia.

– Chcesz iść za kotem? – spytała z niedowierzaniem Meilin. – To najgłupszy z twoich dotychczasowych pomysłów.

– Wierz mi, że wcale nie najgłupszy. Chodźmy – odparł Rollan i poszedł za Kunayą.

Mała kotka była wyraźnie zadowolona, że w końcu zrozumieli, co chciała im przekazać, i ruszyła szybkim truchtem.

Gdy minęli załom zamkowego muru, ich oczom ukazał się niewielki, ale schludnie utrzymany budynek ze słomianym dachem. Kunaya wpadła do wnętrza pogrążonego w mroku, gdzie w rzędach ustawione były wozy. Błyskawicznie przemknęła między ich dużymi kołami, więc Rollan z Meilin musieli bardzo się starać, żeby jej nie zgubić.

Wreszcie kotka się zatrzymała, zwinęła koniuszek ogona i zamiauczała, zadowolona z siebie.

– Kunaya? – w ciemności rozległ się czyjś drżący głos.

Abeke! Rollan był zdumiony, choć sam zasugerował, żeby podążyć za kotką. Obiecał sobie, że gdy będzie po wszystkim, wyprawi dla niej prawdziwą kocią ucztę.

Stanął po jednej stronie wozu, do którego doprowadziła ich Kunaya, Meilin zaś po drugiej. Na wozie leżał potężny, drewniany kufer, zamknięty na ciężką kłódkę. Meilin nachyliła się nad jego wiekiem.

– Abeke! – zawołała. – Przyszliśmy cię uratować!

– Meilin? – z kufra dobiegł wystraszony głos Abeke. – To ty?

– Ja też tu jestem – dodał urażony Rollan.

– Nie sądziłam, że ktoś mnie odnajdzie! – wykrzyknęła zduszonym głosem Abeke. – Udało mi się zawiązać supełki na bransoletce i założyć ją Kunayi na szyję, lecz zabrakło mi sznurka i...

– To świetna historia – odparł Rollan. – Ale resztę opowiesz nam, kiedy już cię stąd wydostaniemy.

Złapał za kłódkę i pociągnął. Spojrzał na Meilin i pokręcił głową. Dziewczyna zaczęła głośno myśleć:

– Może gdzieś jest zapasowy klucz? Albo... gdyby Jhi usiadła na kufrze, na pewno zmiażdżyłaby wieko.

– Jhi na mnie usiądzie?! – krzyknęła zaniepokojona Abeke.

– Na kufrze, nie na tobie...

– Jhi na nikim nie będzie siadać – powiedział spokojnie Rollan.

Wdrapał się na wóz i zerwał plandekę, dzięki czemu odkrył metalowe pręty usztywniające konstrukcję. Wyjął jeden z nich i wbił go w zamek, po czym zaczął umiejętnie obracać drążkiem. Zerknął przez ramię na Meilin i uśmiechnął się zawadiacko.

– No co? – zapytała Meilin, rumieniąc się na twarzy. – Czemu się tak cieszysz? Patrz lepiej na kłódkę!

– Jaką kłódkę? – zapytał Rollan i raz jeszcze przekręcił zaimprowizowany wytrych.

Kłódka puściła i z brzękiem spadła na ziemię.

„Znowu się okazuje, że dzieciństwo spędzone na ulicy czasami jednak na coś się przydaje" – pomyślał z satysfakcją Rollan.

Meilin zaśmiała się, dźwięcznie i szczerze, lecz gdy się zorientowała, że Rollan się jej przygląda, natychmiast umilkła.

– Niech zgadnę – powiedziała. – Miałeś dobrych nauczycieli?

Rollan tylko się uśmiechnął.

Wieko kufra odskoczyło i ze środka wyszła Abeke wraz z Urazą. Ich ruchy były tak podobne, że obie przypominały raczej stworzenia jednego gatunku niż dziewczynę i lamparcicę.

– Jak mnie znaleźliście? – zapytała zdumiona Abeke, łapiąc oddech.

– Kunaya nie jest może zwierzoduchem – odpowiedziała Meilin – ale i tak sprytna z niej bestia. – Zdjęła bransoletkę z szyi Kunayi i podała ją Abeke.

– Czy Devin i Karmo znaleźli Rumfussa? – spytała Abeke, zakładając bransoletkę. – Tropią go od paru godzin!

– Nie sądzę – odparł Rollan. – Na pewno ich ubiegniemy, choć nie mam pojęcia, gdzie zacząć poszukiwania. Co lubią dziki? Poza błotem, oczywiście.

Meilin i Abeke wymieniły niepewne spojrzenia.

– Może zapytamy lorda MacDonnella? – zaproponowała Abeke.

– To nie ma sensu. Zanim go odnajdziemy, zanim ponownie wyruszymy na spotkanie z Rumfussem… – zaczęła wyliczać Meilin.

Przerwało jej ostre skrzeknięcie, dobiegające z powozu stojącego obok. Na koźle siedziała Essix. Gdy dojrzała zdumienie na twarzy Rollana, przechyliła głowę, jakby mówiła „No co? Myślałeś, że nie przylecę?".

– Co ona próbuje powiedzieć, Rollan? – zapytała Meilin.

– Skąd mam wiedzieć? – mruknął chłopak.

Sokolica nastroszyła pióra i ponownie przechyliła łebek. Rollan poczuł się tak, jakby Essix znów użyczała mu swojej intuicji. „Gdyby zawsze tak było – pomyślał ponuro – wszystko byłoby znacznie łatwiejsze".

Meilin i Abeke czekały na jego odpowiedź.

– Essix nam pomoże – rzucił Rollan. – Poprowadzi nas z góry. Chodźcie!

15

ZAJĄC

M am nadzieję, że znaleźli Abeke" – myślał Conor, gdy wraz z Finnem szli pośpiesznie krętą ścieżką wzdłuż wschodnich murów zamku. Poszukiwania zająca już pochłonęły więcej czasu, niż Conor przypuszczał. Ogród wokół nich stopniowo mroczniał. Poranek zamienił się w południe, potem przeszedł w późne popołudnie, a ich przyjaciele nadal do nich nie dołączyli. Utrata talizmanu na rzecz Devina byłaby czymś okropnym, ale strata kolejnego członka drużyny tak niedługo po tym, jak musieli się rozstać z Tarikiem, byłaby... wprost nie do pomyślenia.

Briggan zerkał cały czas na Conora, jakby słyszał jego rozważania.

– Nie będzie łatwo przekonać zająca, żeby wrócił do MacDonnella – powiedział idący za nimi Finn, wyrywając chłopca z zadumy. – Lord niepięknie z nim postępował.

– Pamiętasz konia Rollana? Jego zachowanie po naszym wyjeździe z Zielonej Przystani? – rzucił przez ramię

Conor. – On też kiedyś był zwierzoduchem. Zazdrościł Essix i Rollanowi ich więzi. Więc może, kiedy zając zobaczy mnie i Briggana, poczuje zazdrość i zechce odbudować więź łączącą go niegdyś z lordem.

– Być może. Mnie samemu wasza więź dodaje ducha.

W ustach milkliwego Finna słowa te były wyrazem sporego uznania. Conor poczuł wzbierającą nadzieję.

Szli dalej, aż natknęli się na zasłonę z wiszących glicynii. „Jak w moim śnie" – pomyślał Conor i odsunął na bok kaskadę fioletowych kwiatów. Briggan parsknął i potarł nosem o ziemię, żeby pozbyć się z nozdrzy drażniącego zapachu rośliny.

Kiedy przeszli za ścianę z pnączy, znaleźli się na małej polanie. Po jednej jej stronie stała kamienna ława, po drugiej ciągnął się mur z tego samego budulca. Polanę prawie w całości zacieniały rozłożyste korony drzew, spomiędzy których widać było jedynie mały krąg ciemniejącego nieba.

Finn mruknął coś niepewnie.

– Ludzki towarzysz tego konia zginął – przypomniał Conorowi. – W przeciwieństwie do zająca, koń nie wybrał samotności dobrowolnie. Zwierzoduch lorda wie, że jego człowiek wciąż żyje. Dlaczego myślisz, że tęskni za łączącą ich więzią?

Conor wziął głęboki oddech i zrobił kilka kroków w stronę zamkowego muru. Wyciągnął dłoń ku różanym krzewom rosnącym wzdłuż niego.

– Ze względu na to, co znajduje się po drugiej stronie tego muru – powiedział.

– Co?

– Sypialnia MacDonnella – odparł Conor i delikatnie odgarnął krzew, tak żeby się nie zranić kolcami.

Briggan zaskomlił cicho i położył się na trawie.

Zaskoczony Finn wciągnął głęboko powietrze.

W ciemności między krzewami błyszczały wlepione w Conora dwa maleńkie oczka, czarne jak pancerzyki chrząszczy. Najwyraźniej zaskoczyli zająca we śnie, bo nadal leżał zwinięty w kłębek. Wyglądał na zdumionego nie tylko widokiem ludzi, lecz także tym, że najwyraźniej szukali właśnie jego.

– Witaj – powiedział ostrożnie Conor. – Jestem Conor, a to Briggan, jedna z Wielkich Bestii. Chcemy... hmm... Mamy nadzieję cię skłonić, żebyś wrócił do lorda Mac-Donnella.

Zając zamrugał. Nie wyglądał na przekonanego. Opuścił uszy, nie tyle z powodu senności, ile z nieufności i niedowierzania.

Conor pożałował, że nie przygotował sobie wcześniej lepszej przemowy. Naprawdę sądził, że kilka prostych słów w połączeniu z widokiem jego i Briggana wystarczy, żeby namówić zająca do powrotu.

Finn, stojący za chłopcem, wypuścił wreszcie wstrzymywany oddech i powiedział:

– Wiem, jakie to uczucie stracić zwierzoducha. Ból, jaki sam odczuwam, widzę też w oczach lorda MacDonnella. I w twoich.

Zając znowu zamrugał, jeszcze niżej opuścił uszy.

– Proszę – odezwał się błagalnie Conor. – Chodź z nami. Wróć do Glengavin. Daj MacDonnellowi drugą szansę. Wiem, że ci go brakuje. Sypiasz przecież pod jego oknem.

– On pragnie, żebyś wrócił – dodał Finn. – Bardzo się zmienił.

Tym razem zając nie mrugnął. Siedział w bezruchu, wsparty na przednich łapach. Jedynie jego nos drgał przy każdym oddechu. Było widać, że tęsknił za swoim człowiekiem, ale nadal się wahał.

Gdyby zwierzoduch zgodził się wrócić do MacDonnella, mogliby się skupić na poszukiwaniu Rumfussa.

Mijały minuty, a zając nie dawał im żadnej odpowiedzi. W końcu Conor zaryzykował i wyciągnął w stronę zwierzęcia otwartą dłoń, żeby pokazać, że nie ma złych zamiarów. Zbliżał ją coraz bardziej, aż… spłoszony szarak wyskoczył z krzaków i zniknął wśród zarośli tak szybko, że nawet Briggan nie zdołałby go dogonić. Odnalezienie go w olbrzymim ogrodzie było praktycznie niemożliwe.

– No cóż, to by było na tyle – stwierdził z rezygnacją Finn.

Conor zazgrzytał zębami. Co mu przyszło do głowy? Powinien być cierpliwszy, dać zającowi więcej czasu. Powinien był wiedzieć, że nie wolno ponaglać nieufnego zwierzęcia. „Byłem przecież pasterzem" – pomyślał ponuro.

Finn dotknął miejsca na swoim bicepsie, gdzie jego zwierzoduch pozostawał w uśpieniu.

– Być może czasem więzi nie da się już naprawić – wyszeptał ze smutkiem.

Briggan podszedł do Conora i usiadł obok. Pozwolił mu się pogłaskać, jakby w ten sposób chciał pocieszyć swojego partnera. Kiedy tylko dłoń Conora dotknęła sierści wilka, chłopak poczuł, jak w jego głowie coś się odblokowuje. Myślał jaśniej, a poczucie beznadziejności, które zaczęło go ogarniać, minęło. Miał wszak być przywódcą. Miał podejmować decyzje.

– Możemy jeszcze zapobiec zdobyciu talizmanu przez Devina. Nawet jeśli MacDonnell nie pozwoli nam zabrać amuletu ze sobą, możemy nie dopuścić, by trafił w ręce Zdobywców – stwierdził. – Chodźmy znaleźć Rumfussa.

16

RUMFUSS

Po locie zwiadowczym nad zamkowymi ogrodami Essix poprowadziła Rollana wraz z Meilin i Abeke ku odległym sadom owocowym. Dojście tam zajęło im resztę dnia, ale w końcu sokolica wylądowała na gałęzi rosłej jabłoni i głośnym skrzeczeniem dała znać, że są już blisko. Dzieci ukryły się w cieniu rzucanym przez pień drzewa, a Uraza przysiadła na jego konarze.

Abeke była pod wrażeniem – Rollan i Essix współdziałali tak sprawnie, więc nie miała wątpliwości, że musieli pracować nad łączącą ich więzią.

Czekali dłuższą chwilę, ale nic się nie działo.

– Mam już skurcze w nogach – zaczął głośno narzekać Rollan. – Chodźmy gdzie indziej.

Abeke spojrzała na lamparcicę, wyciągniętą na gałęzi. W fioletowych oczach Urazy widoczne było rozczarowanie. Kocica zostawiła Kunayę na drzewie, a sama ześlizgnęła się na trawę. Strąciła przy tym kilka jabłek, w tym jedno wprost na głowę Meilin. Dziewczyna złapała owoc tuż nad ziemią i oskarżycielskim gestem pokazała go lamparcicy.

– Przepraszam – powiedziała Abeke w imieniu Urazy.

Przez chwilę Meilin zastanawiała się, czy się rozgniewać, po czym cisnęła jabłko w ciemność.

– Nie ma za co – odparła wreszcie. – Chodźmy... – nie zdążyła dokończyć zdania, bo nagle Rollan złapał ją stanowczym ruchem za rękę.

Zarówno Rollan, jak i Essix, siedząca na jego ramieniu, patrzyli w tę samą stronę – tam gdzie zniknęło jabłko rzucone przez Meilin, w nieprzebytą gęstwinę winorośli i drzew owocowych.

– Jest ciemno, a dodatkowo te krzaki całkowicie zasłaniają widok – szepnął Rollan – ale myślę, że to Rumfuss.

Meilin spojrzała we wskazanym kierunku.

– No to chodźmy.

– Czekaj! – Kolega powstrzymał ją szarpnięciem za róg płaszcza. – Naprawdę uważasz, że to dobry pomysł, żeby wtargnąć tam znienacka? Rumfuss może uciec albo zrobić coś jeszcze gorszego. Pamiętasz Araxa?

Abeke zadrżała. Straszliwe wspomnienie gigantycznego barana szarżującego wprost na nią miało już nigdy jej nie opuścić.

– A gdybyś to ty była Rumfussem, zamkniętym w ogrodzie przez szalonego MacDonnella? Cieszyłabyś się, że nadarza się okazja do rozmowy z człowiekiem? – ciągnął dalej Rollan.

– Cóż… – zaczęła Abeke, zerkając na lamparcicę. – Kto lepiej porozumie się z Wielką Bestią niż inna Wielka Bestia? Urazo, mogłabyś pójść do Rumfussa?

Lamparcica postawiła uszy i usiadła, wywijając ogonem. Rollan zerknął nerwowo na Essix, a ona – ku jego zdziwieniu – cicho zaskrzeczała i przeskoczyła na najbliższą gałąź. Meilin wyciągnęła przed siebie rękę i Jhi spadła na ziemię z głośnym plaśnięciem. Wszyscy drgnęli. Rollan sprawdził, czy spomiędzy drzew nie pędzi na nich Rumfuss, zaalarmowany hałasem.

– No dobra – powiedział. – Powodzenia.

Pierwsza ruszyła Uraza. Abeke mogła tylko patrzeć, jak w mroku ginie jej kołyszący się figlarnie ogon. Uraza poruszała się na ziemi równie bezgłośnie, co Essix w powietrzu.

Jhi chciała ruszyć za lamparcicą.

– Poczekaj chwilkę – poprosiła Meilin, zatrzymując pandę gestem.

Jhi usłuchała, żeby dać Urazie i Essix czas na odnalezienie Rumfussa. W końcu również weszła w gąszcz, stąpając powoli i miażdżąc ciężkimi krokami liście i suche gałązki.

Kiedy Abeke straciła z oczu białe plamy futra wyróżniające pandę z mroku, niespokojnie potarła miejsce na ramieniu, gdzie zazwyczaj znajdował się tatuaż uśpionej Urazy.

Wtem spomiędzy drzew rozległ się warkot lamparcicy i skrzek Essix. Później w powietrzu rozbrzmiał wibrujący ryk, tak nasycony ekspresją, że niemal ludzki. To musiał być Rumfuss. Choć żaden z tych odgłosów nie oznaczał niebezpieczeństwa, Abeke i tak zadrżała z przejęcia. „To zabawne – pomyślała. – Jeszcze kilka miesięcy temu nawet nie znałam Urazy, a teraz wystarczy, że stracę ją z oczu, i już odczuwam niepokój".

– Och! – westchnęła Meilin, dotykając skroni. – My... możemy już podejść i porozmawiać z Rumfussem.

– Jhi ci to powiedziała? – zapytał Rollan, wyraźnie pod wrażeniem.

– Niezupełnie. – Meilin wzruszyła ramionami. – Ale poczułam spokój. I pewność, że nic nam nie grozi.

Ostrożnie weszli między drzewa. Abeke poruszała się bez wysiłku, jak lamparcica. Meilin też skradała się z niemałą wprawą, choć tej akurat umiejętności nie zawdzięczała swojej więzi z Jhi. Nagle wyszli z gęstwiny i stanęli przed niewielkim sadem brzoskwiniowym. Księżyc, ciężko wiszący na niebie, rozświetlał nocny mrok, więc Abeke wyraźnie zobaczyła Rumfussa.

Może aż nazbyt wyraźnie.

Dotąd uważała, że potężny Arax był przerażający, jednak nawet nie mógł się równać z olbrzymim Rumfussem. Dzik był niemal dwukrotnie wyższy od niej. Miał wąskie, ciemne oczy. Jego skóra była gruba jak zbroja, a szczecina porastająca ryj sprawiała wrażenie tak ostrej, że jej dotknięcie musiało się skończyć skaleczeniem. Jednak najmniej przyjemne wrażenie robił widok dwóch grubych kłów wystających z pyska Wielkiej Bestii jak szable. Ich ostre końce groźnie lśniły w świetle księżyca. Rumfuss stał pośród kilku wielkich kopców ogryzków po jabłkach, z których każdy był wysokości Abeke.

Dzik parsknął, tupnął racicą, po czym odezwał się głosem tak niskim i dźwięcznym, że Abeke miała wrażenie, że dochodzi on zarówno z zewnątrz, jak i z jej wnętrza.

– Czego... chcecie?

Mówił z wahaniem, jak ktoś nieznający zbyt dobrze języka. Abeke pomyślała, że od jego ostatniej rozmowy z ludźmi musiało upłynąć wiele czasu.

– Rumfuss, poszukujemy twojego talizmanu, Żelaznego Dzika – powiedziała uprzejmie. – Jest nam potrzebny, żebyśmy mogli pokonać Pożeracza.

– Talizman? – mruknął nieufnie Rumfuss, zamiatając wkoło ogonem, którego chwost świszczał w powietrzu jak bat. – Dlaczego mam dać?

– Inaczej przyjdą po niego Zdobywcy – odezwała się Meilin. – Zajęli już mój kraj, Zhong. Opanowali również Trunswick, a dwóch spośród nich przebywa tutaj, w tym ogrodzie. Szukają ciebie i twojego talizmanu.

– Nie... boję... dwóch – odparł Rumfuss.

Abeke nie miała żadnych wątpliwości, że dzik poradziłby sobie z Devinem i Karmo, nawet gdyby pomagały im ich potężne zwierzoduchy.

– Potrzebujemy talizmanu – prosiła Abeke. – Nie pokonamy Zdobywców bez niego.

– Co w zamian? – zaburczał Rumfuss.

– Eee... – zająknęła się Abeke, ściągając brwi. Zerknęła na Meilin, ale ona również nie miała żadnego pomysłu.

– Wolność – powiedział nagle Rollan.

Wszyscy popatrzyli na niego. Chłopak opierał się nonszalancko o drzewo brzoskwiniowe. Na pytające spojrzenia dziewcząt zareagował uniesieniem brwi.

– Każdy, kto siedzi w klatce, najbardziej pragnie wolności, bez względu na rozmiar tej klatki. Mam rację, Rumfuss? – zwrócił się do dzika.

Ten zatupał racicami i kiwnął łbem, a Rollan uśmiechnął się ze zrozumieniem.

– Mur – powiedział Rumfuss.

Obrócił się i ryjem wskazał kępę drzew, za którymi wznosił się ogromny, kamienny mur, sięgający znacznie powyżej głowy dzika. Gdzieniegdzie z ogrodzenia wystawały kamienie, co zwierzęciu takiemu jak Uraza umożliwiłoby ucieczkę, ale Rumfuss był ciężki i niezdarny. Nie miało znaczenia, czy mur ma dziesięć czy sto metrów wysokości, i tak nie byłby w stanie pokonać przeszkody.

Wtem z ciemności dobiegły słowa:

– Nie tak szybko!

Abeke aż za dobrze znała ten głos.

Wszyscy odwrócili się w stronę, skąd dochodził. Uraza opadła nisko i zasyczała, pokazując imponujące kły. Rumfuss przeorał ziemię racicami i wydał z siebie gardłowy pomruk, który przypominał łoskot gromu przetaczającego się po niebie. Nawet Jhi się zgarbiła i naprężyła mięśnie.

– Cóż za powitanie – powiedział Devin z uśmiechem, jakby cała ta sytuacja wydawała mu się zabawna. – Abeke! Widzę, że udało ci się uciec. To moja wina. Zawsze zapominam, jak przebiegłe potrafią być szkodniki, gdy wpadną w potrzask.

Karmo, stojącemu obok Devina, nie przypadł do gustu ten żart, ale młody Trunswick wydawał się ubawiony własnym dowcipem.

– Będziemy potrzebowali twojego talizmanu, Rumfuss. Lepiej oddaj go po dobroci – ciągnął.

Zagwizdał ostro i u jego boku pojawiła się pantera. Zaraz potem impundulu Karmo wyfrunął spomiędzy drzew z groźnie otwartym dziobem.

Na Rumfussie nie zrobiło to żadnego wrażenia. Jego spokój wcale nie zdziwił Abeke. Dzik był Wielką Bestią i wraz z ich trojgiem oraz ich zwierzoduchami powinien sobie bez trudu poradzić z Devinem i Karmo.

Wtedy jednak Devin uśmiechnął się jeszcze szerzej i znowu gwizdnął. Wśród drzew rozległy się kroki i stukot kopyt, ktoś lub coś łamało gałęzie. Spomiędzy zarośli wyłonili się Zdobywcy. Było ich tuzin, a może nawet więcej. Jeden miał na ramieniu iguanę, u stóp innego przysiadła surykatka. Widać też było żyrafę, lemura i rysia, a każdemu ze zwierzoduchów towarzyszył człowiek, uzbrojony i gotowy do walki.

Devin przemycił do Glengavin sprzymierzeńców.

– To jak będzie, Rumfuss? Talizman Żelaznego Dzika poproszę – powiedział, wyciągając otwartą dłoń.

Dzik przyglądał mu się przez chwilę, na tyle długą, że Abeke zdążyła się zaniepokoić, czy aby Rumfuss nie zgodzi się na to żądanie. Potem pochylił łeb, parsknął, rozdymając nozdrza, uniósł wargi i…

Zaszarżował.

17

BITWA

Słyszę jakieś głosy! Są gdzieś przed nami! – zawołał Conor do Finna.

Briggan prowadził ich przez gęstwinę, pędząc z wyciem pomiędzy drzewami owocowymi i przeskakując powoje. Conor nie był pewien, kim są owi ludzie, ale wiedział na pewno, że albo mają kłopoty, albo też spotkanie z nimi doprowadzi do kłopotów. W ciemnościach rozbrzmiewała prawdziwa kakofonia pomruków, warkotu, porykiwań i okrzyków. Ponad drzewami skrzeczał sokół.

– To Essix! – wykrzyknął Finn.

Conor czuł szaleńcze bicie serca. Briggan znowu zawył, wiodąc ich przez zarośla, aż w końcu…

Chłopak zamarł.

Zdobywcy. Zwierzoduchy. Dzik wielkości karety – z pewnością Rumfuss. I pośród tej kotłowaniny Abeke, Meilin i Rollan.

Abeke i Uraza walczyły razem, zręcznie odbijając się od drzew i skacząc na przeciwników. Lamparcica powalała wrogów na ziemię, Abeke zaś biegła tuż za nią, odganiając mniejsze zwierzoduchy i wymierzając kopniaki przeciwnikom. Jhi była bezpieczna, pozostając w uśpieniu jako tatuaż na ramieniu Meilin, tym samym ramieniu, którym dziewczyna uderzyła właśnie prosto w nos jednego ze Zdobywców. Rollan nurkował pod wyciągniętymi po niego rękami i pomiędzy nogami wrogów. Zupełnie jak ktoś, kto dobrze wie, jak uniknąć schwytania.

– Conor! – zawołała rozpaczliwie Meilin, dostrzegłszy go w oddali.

Niespodziewane pojawienie się kolegi na moment zdekoncentrowało dziewczynę, a wtedy spadła na nią ara z rozczapierzonymi szponami. Najbliższy z napastników wykorzystał to, że szkarłatne pióra papugi zasłoniły Meilin widok, złapał ją za nogę i jednym ruchem powalił na ziemię.

– Briggan! – wrzasnął Conor.

Wilk wpadł w kotłujący się tłum i zepchnął Zdobywcę z Meilin, ale od razu doskoczył do niej kolejny napastnik. Było ich zbyt wielu.

Na Conora rzucił się ryś, na szczęście w ostatniej chwili chłopak zdołał się zasłonić kosturem. Drugim ciosem trafił wielkiego kota w łeb i pozbawił go przytomności. Potem skoczył naprzód z wyciągniętym poziomo kijem, którym przewrócił kilku Zdobywców zajętych walką. Nagle poczuł szarpnięcie za rękę. Zorientował się, że został złapany przez pawiana, który ciągnął z taką siłą, że Conor był niemal pewien, że lada chwila zwierzoduch wyrwie mu kończynę ze stawu. Krzywiąc się z bólu, chłopak obrócił się w miejscu i walnął małpę między oczy. Wtedy u jego boku nie wiadomo skąd pojawił się Rollan i podał mu rękę. Gdy Conor zdołał stanąć na nogi, zobaczył, że otoczyła ich grupa Zdobywców.

– Masz jakiś pomysł? – zapytał Rollan.

Essix spadała z nieba raz za razem, celując szponami w oczy Zdobywców, ale jej ataki nie mogły powstrzymać nacierającej hordy. Briggan nadal pomagał Meilin. Abeke z Urazą wycofywały się pod naporem wrogów w stronę drzew. Conor mocniej ujął kostur. Rollan zacisnął dłoń na rękojeści miecza.

Wtem rozległ się chóralny wrzask i grupa kilku mężczyzn wyleciała w powietrze. Pomiędzy Zdobywców wpadł Rumfuss, rozrzucając ludzi i zwierzęta na wszystkie strony. Conor miał ochotę zaprzestać na chwilę walki tylko po to, żeby się przypatrzeć ogromnej Bestii i temu, jak walczy, ale nie było na to czasu. Nie zwlekając, zamachnął się z półobrotu i z impetem opuścił kostur na głowę jednego z nieprzyjaciół.

Potem się odwrócił, żeby zobaczyć, kto potrzebuje pomocy. Wrogów ciągle było wielu. Dostrzegł co najmniej sześciu Zdobywców, którzy nadal trzymali się na nogach, a każdy z nich miał u boku dużego zwierzoducha.

Meilin zeskoczyła z gałęzi i jeszcze w powietrzu wypuściła Jhi ze stanu uśpienia. Panda spadła na ziemię, miażdżąc swym ciężarem jakąś kobietę, po czym w błysku światła znów stała się tatuażem na ramieniu dziewczyny. Finn był tuż obok Meilin, osłaniał ją przed mężczyzną z żyrafą. Zwierzę używało swojej długiej szyi niczym oblężniczego tarana i...

Conor poczuł nagle okropny ból i zrozumiał, że coś wbija zęby w jego ramię. Czarna pantera Devina wskoczyła mu na plecy, szarpiąc jego skórę pazurami i zębami. Conor zawył rozdzierająco. Obrócił się z impetem, zataczając szeroki krąg, dzięki czemu udało mu się zrzucić z siebie zwierzę. Dotknął swojego ramienia i zobaczył, że jego dłoń jest cała we krwi.

– Już nie jesteś taki wspaniały, co? – wycedził Devin i zbliżył się do Conora. Ruchem głowy przywołał do siebie panterę, która posłusznie stanęła przy jego nodze.

Conor spróbował się zasłonić kosturem. Skrzywił się z bólu. Jego obrażenia były tak dotkliwe, że nie był w stanie unieść broni.

– A myślałeś, że jesteś taki wyjątkowy, co? Myślałeś, że dzięki Brigganowi jesteś lepszy ode mnie. Ale Briggan jest tylko cieniem Wielkiej Bestii, którą był kiedyś. Za to moja Elda jest żywą legendą.

Conor zaczął się cofać. Czyjeś silne ręce złapały go za ramiona. To jeden ze Zdobywców wbił palce w świeże rany chłopaka, aż ten wrzasnął z bólu. „Briggan, potrzebuję cię" – myślał rozpaczliwie Conor.

Po chwili dojrzał swojego wilka, przygniecionego do ziemi przez kilku napastników. Jeden z nich z rozmachem kopnął Briggana w brzuch. Zwierzę zaskomliło ostro. Conor poczuł jego skowyt pod czaszką.

Przypatrujący się temu Devin prychnął.

– Wielka Bestia, akurat! – zadrwił i znów spojrzał na Conora. – Elda, bierz go!

Conor przymknął powieki, ale zaraz je otworzył. Chociaż się bał, to chciał patrzeć śmierci w oczy.

Elda zawarczała nisko i wibrująco i... zaatakowała. Coś uderzyło ją w locie, cisnęło o ziemię i odskoczyło. Coś smukłego i czarnego, przypominającego nie tyle zwierzę, ile cień. Pantera nie podniosła się z trawy, ale jej klatka piersiowa nadal się poruszała. Devin aż zaniemówił i przypadł do swojego zwierzoducha. Błysnęło i kocica znikła. Zdobywca ściskający ramiona Conora wypuścił go i dobył noża, żeby móc się obronić przed tajemniczym napastnikiem. Zwierzę było jednak zbyt szybkie – w mgnieniu oka skoczyło mężczyźnie do gardła i rozszarpało je potężnymi zębami. Potem czarny kształt odbiegł w stronę Meilin i Finna.

Devin wrzeszczał wściekle, pokrzykując na pozostałych Zdobywców. Karmo, zajęty walką z Abeke, odwrócił się na moment, żeby zobaczyć, co się dzieje. Rollan skorzystał z okazji – powalił go na ziemię i przystawił mu do gardła sztych miecza. Abeke rzuciła się za impundulu, który jednak w ostatniej chwili umknął przed jej wyciągniętymi rękoma i odfrunął między drzewa. Conor podbiegł do mężczyzny, który kopał jego wilka, i uderzył go w brzuch kosturem. Uwolniony Briggan znów skoczył do walki.

Sprzymierzeńcy Devina zaczynali zdawać sobie sprawę z tego, że ich przegrana jest niemal pewna. Było ich już zaledwie trzech. Nie, dwóch. Trzeci przeleciał właśnie nad wysokim murem, wyrzucony w powietrze przez Rumfussa.

Ciemny kształt nadal poruszał się zbyt szybko, żeby Conor mógł rozpoznać, co to za zwierzę. Skoczył na kolejną upatrzoną ofiarę.

Tymczasem Finn rzucił Meilin swój miecz, a ona złapała go w powietrzu i skierowała klingę w stronę ostatniego Zdobywcy na placu boju. Mężczyzna spojrzał na nią, następnie na pozostałych przeciwników, a potem odwrócił się i uciekł.

– Ty tchórzu! – wrzasnął za nim Devin. – Wracaj tu i walcz!

Trunswick nie powinien był krzyczeć. Nie powinien był zwracać na siebie uwagi. Usłyszała go Uraza. Błyskawicznie znalazła się przy nim i powaliła go na ziemię uderzeniem przednich łap. Obnażyła zęby i ostrymi pazurami przykuła Devina do ziemi.

– Nikomu nic się nie stało? – zapytał w końcu Conor, próbując złapać oddech.

– Mnie nic – odpowiedziała Abeke. – Przytrzymaj go tam, Urazo...

– Zabierz ode mnie to głupie bydlę! – wrzeszczał przyszpilony Devin.

Abeke pokręciła głową.

– Właściwie to możesz go zjeść – rzuciła do lamparcicy.

Tym razem Devin się zamknął, przynajmniej na parę chwil.

Członkowie drużyny zaczeli meldować o odniesionych obrażeniach. Meilin miała paskudne skaleczenie na ręce oraz prawdopodobnie kilka złamanych palców stopy. Essix brakowało paru piór w ogonie, przez co jej lot wyglądał dość niepewnie. Rollan miał podbite jedno oko, za to Karmo, leżący na plecach z rękami rozłożonymi na znak poddania się, miał podbite oba.

Udało im się przeżyć. Więcej, udało im się wygrać. Conor ledwo mógł w to uwierzyć.

Tylko gdzie się podział Finn?

– Finn?! – zawołał Conor. – Gdzie jest Finn?!

– Był tu przed chwilą! – powiedziała Meilin, rozglądając się w panice.

– Nic mi nie jest – odezwał się cicho Finn, a w jego głosie słychać było zdumienie.

Dopiero po chwili pozostałym członkom drużyny udało się go dostrzec. Kiedy zatrzymali na nim wzrok, wszyscy bez wyjątku pootwierali usta ze zdziwienia.

– Finn! – wydusiła w końcu Abeke. – To ty!

Usta mężczyzny rozciągnęły się wtedy w promiennym i szczerym uśmiechu. Conor nie pamiętał, żeby kiedykolwiek wcześniej widział taki uśmiech na twarzy zwiadowcy. Finn dotknął ręką grzbietu zwierzoducha stojącego u jego boku. Swojego zwierzoducha. Jego palce drżały nerwowo, jakby się obawiał, że tylko śni.

– Dlaczego nam nie powiedziałeś?! – zapytała zdumiona Meilin.

– Myślałem, że już nie wróci – odparł zwiadowca. – Że już mnie nie chce.

Zwierzoduch spojrzał mu w oczy, po czym wcisnął łeb w jego otwartą dłoń. Zwierzę było piękne. Miało czarną sierść z wzorem cętek ciemniejszych niż czerń, wyraźnie widocznym w świetle księżyca.

Była to czarna pantera.

18

CZARNA PANTERA

To Finn był bohaterem z legend północy, za którego podawał się Devin! Zaskoczona Abeke zachichotała nerwowo, a Rollan zagwizdał i pokręcił głową, jakby nadal nie do końca mógł uwierzyć w to, co miał przed oczami. Nawet Rumfuss był pod wrażeniem.

– Więź... nigdy nie znika – powiedział, a mądrości jego słów nie umniejszało to, że zaraz potem opuścił łeb i zjadł mocno nadgniłe jabłko, leżące na ziemi.

– Rumfuss – odezwał się Conor.

Gdy dzik spojrzał na niego, chłopak ukłonił się z szacunkiem.

– Dziękuję, że stanąłeś z nami do walki.

– Dziękuję... że walczyliście o mnie – odparł chrapliwym głosem Rumfuss, po czym urwał i znowu opuścił łeb ku ziemi.

Conor pomyślał, że dzik szuka owoców, ale Rumfuss wbił swoje olbrzymie szable w trawę przy najbliższym drzewie. Kiedy po krótkiej chwili wydobył je z ziemi, coś z nich zwisało.

– Czy to… – zaczęła Abeke.

– …talizman? – dokończył Conor.

– Weź – odpowiedział Rumfuss, wyciągając szyję ku chłopakowi.

Conor odruchowo napiął mięśnie, kiedy poczuł na przedramieniu gorący oddech Bestii. Sięgnął ręką i zdjął talizman z lśniących kłów dzika. Talizman – Żelazny Dzik okazał się bardzo ciężki. Miał ciemnordzawy kolor, całkiem jak sierść Rumfussa. Amulet był oczywiście w kształcie dzika i choć Conor nie mógł być tego pewien, nie zdziwiłby się, gdyby kły miniaturowego dzika wykonano z odprysków szabli samego Rumfussa – wyglądały bardzo realistycznie.

– Dziękuję – powiedział Conor. – Bardzo dziękuję.

Założył talizman na szyję i odwrócił się do towarzyszy. Rollan stał z mieczem wymierzonym w Karmo. Uraza nie bez ociągania zeszła z Devina, a wtedy Meilin przystawiła mu do szyi ostrze sztyletu.

– Czekaj, Rumfuss – odezwał się Rollan. – Przecież obiecaliśmy ci wolność w zamian za talizman.

– Nie trzeba – prychnął Rumfuss, jednak Rollan nie dał się tak łatwo zbyć.

– Musimy go stąd wydostać – powiedział i zwrócił się do dzika: – Chodź z nami. Powiemy MacDonnellowi, że broniłeś jego zamku przed Zdobywcami. Jest ci teraz winien przysługę.

– Mam nadzieję, że nam też będzie zobowiązany. Nie przekonaliśmy przecież zająca – wtrącił Conor.

– Zająca? – zapytał Rumfuss.

– Zaginionego zwierzoducha MacDonnella. Uciekł, zanim wraz z Finnem zdołaliśmy go przekonać do powrotu. Jak myślicie, co lord uzna za ważniejsze: że nie dotrzymaliśmy danego mu słowa czy że powstrzymaliśmy napaść na jego zamek?

Nikt się nie odezwał. Lord MacDonnell był nieobliczalny.

Conor schował talizman pod koszulą, westchnął z rezygnacją i poprowadził całą grupę do zamku. Wędrówka przez rozległe ogrody zajęła im prawie tyle samo czasu co poszukiwania dzika. Rumfuss szedł za nimi. Zamiast omijać drzewa stojące mu na drodze, po prostu je przewracał, wyrywając je z ziemi razem z korzeniami. Devin i Karmo milczeli ponuro przez cały czas, z wyjątkiem chwil, gdy Rollan albo Meilin poganiali ich mało delikatnymi dźgnięciami kling.

Kiedy dotarli do kamiennych stopni tarasu, nocne niebo zaczynało się już przejaśniać. Rumfuss postanowił zatrzymać się w bezpiecznej odległości i nie wychodzić poza linię drzew.

Czekali na nich chyba wszyscy mieszkańcy zamku. Na przedzie stał MacDonnell z dziećmi.

– Czy moglibyście mi zdradzić, co takiego spowodowało w moim ogrodzie te wszystkie hałasy? Brzmiało to tak, jakby stoczono tam wojnę – warknął lord, wskazując swoje włości.

– Bo to była wojna. A właściwie bitwa, i to niemała – odpowiedział Rollan.

– Lordzie – wtrącił się Finn – Devin i Karmo wpuścili Zdobywców na teren twoich ogrodów, żeby pomogli im schwytać Rumfussa i odebrać mu talizman.

MacDonnell otworzył szerzej oczy ze zdumienia, na czole zaczęła mu pulsować żyła. Na ten widok jego dzieci cofnęły się przezornie.

– Chcesz powiedzieć, że ci dwaj nie tylko nadużyli mojej gościnności, lecz w dodatku... dokonali inwazji?

– Nie dokonaliśmy żadnej inwazji...

– Cisza! – zaryczał MacDonnell. – Straże! Uwolnijcie mnie od widoku Devina Trunswicka! Natychmiast go zamknijcie, razem z jego towarzyszem. I zmuście Devina, żeby uśpił swojego zwierzoducha.

– Jego zwierzoduch jest uśpiony, panie – wtrącił nieśmiało Conor. – Ta pantera należy do Finna.

Uwaga wszystkich skupiła się teraz na zwiadowcy. Przez tłum przebiegły pomruki zdumienia i podziwu. Kiedy Finn i jego pantera, poruszająca się z królewską elegancją, zrobili krok naprzód, nawet MacDonnell nie mógł uwierzyć własnym oczom. W porównaniu z Donnem Elda wydawała się mieć rozmiary kociaka. Zwierzoduch Finna był nadzwyczajnie muskularnej budowy ciała. Jego oczy miały kolor jasnej żółci promieni słonecznych. Jego futro przypominało czarny aksamit.

– Pantera? Dziki kot z legend? To oznacza, że ty... – odezwał się MacDonnell, wpatrując się w Finna. Nagle wybuchnął głośnym śmiechem. – Żywa legenda! W moim domu! Zawsze wiedziałem, że ten zadufany w sobie Trunswick to kłamca!

Finn ukłonił się lekko, choć uwaga tłumu ewidentnie wprawiała go w zakłopotanie. Conor dobrze go rozumiał.

Finn zaczekał, aż podniecenie zebranych i ich radosne szepty nieco umilkły, i wyjaśnił:

– Panie, nie powstrzymaliśmy Zdobywców sami. Pomógł nam nie kto inny jak Rumfuss.

Rumfuss, który stał dotąd w cieniu drzew, postąpił jeden krok do przodu, żeby się znaleźć w świetle księżyca. Nawet widoczny tylko częściowo, robił ogromne wrażenie z powodu swoich rozmiarów.

Dzik wbił nieustępliwe spojrzenie w lorda MacDonnella. W tłumie zapadła cisza. Kilka osób z lęku przed Bestią schroniło się wewnątrz zamku.

Conor zadał sobie po raz pierwszy pytanie, jak to możliwe, że Rumfuss stał się więźniem MacDonnella. Ale pewnie była to opowieść na inną okazję.

– Honorowym by było, panie – ciągnął dalej Finn – gdybyś w uznaniu jego bohaterstwa zgodził się zwrócić mu wolność.

MacDonnell przez chwilę milczał. Wyprostował ramiona i nadął się, przez co stał się niemal równie szeroki, jak Rumfuss.

– Z tego, co pamiętam – powiedział – ustaliliśmy, że w zamian za zezwolenie na wstęp do mojego ogrodu sprowadzicie do mnie z powrotem mojego zająca. Nie mogę pozwalać na bezkarne łamanie prawa i naginanie go do własnych potrzeb. Mieliśmy umowę.

– Przecież gdyby nie my, Zdobywcy zajmowaliby właśnie zamek! – nie wytrzymał Rollan.

– Mój zamek, moje prawo! – warknął MacDonnell.

W tłumie zabrzmiały pomruki aprobaty. Conor był jednak przekonany, że ich przyczyną było to, że nikt z poddanych nie chciał się narazić nieobliczalnemu lordowi. Chłopak pokręcił głową z niezadowoleniem. Był zły na siebie, że nie udało mu się przekonać zająca.

Tymczasem Rumfuss wydał z siebie niski, gardłowy dźwięk, jednocześnie głośny i delikatny, przypominający mruczenie kota. Potem schylił masywny łeb, wskazując lśniącą szablą coś znajdującego się z tyłu, po czym lekko zastukał racicą o ziemię.

Przez tłum znów przebiegł szmer. MacDonnell pobladł. Conor widział wyraźnie, że lordowi drży dolna warga.

Zza Rumfussa powoli i ostrożnie wysunął się zając. Dzik i szarak spojrzeli na siebie. Rozmawiali o czymś, choć nikt spośród zebranych ludzi nie słyszał ani nie byłby wstanie zrozumieć ani słowa. Zając popatrzył na MacDonnella, który osunął się na kolana. Widok potężnego lorda w tej pozycji wyrwał z gardeł jego poddanych okrzyk zaskoczenia.

Rumfuss wpatrywał się w MacDonnella.

– Przeproś – nakazał.

– Przepraszam – powiedział natychmiast mężczyzna. – Tak bardzo mi przykro.

– Powiedz… nigdy więcej.

– Nigdy więcej! – powtórzył błagalnym tonem lord.

– Powiedz… że chcesz.

– Nie rozumiem.

– Wydaje mi się, że zając pragnie usłyszeć, że go chcesz, panie – wyjaśniła Meilin. Na jej twarzy malował się ból, którego Conor nie umiał sobie wytłumaczyć. – Że cieszysz się, że jest twoim zwierzoduchem.

– Ależ tak! Tak! – zawołał MacDonnell, uśmiechając się szeroko przez łzy.

Wtedy zając skoczył ku niemu, jednym susem wybił się w powietrze, żeby następnie zniknąć w błysku światła i pojawić się ponownie jako tatuaż na przedramieniu mężczyzny. MacDonnell nie krył wzruszenia. Wstał z kolan i dotknął tatuażu, jakby się obawiał, że znak zaraz zniknie.

– Jesteś wolny! – zawołał do Rumfussa. – Wolny! Nie powinienem był cię tu więzić. Błagam cię o przebaczenie. Przyjmij moje przeprosiny razem z wdzięcznością.

Rumfuss nie wydawał się skory do przebaczania, ale cierpliwie podążył za strażnikami do bramy zamku. Kiedy wrota zostały otwarte, jego cierpliwość najwidoczniej się wyczerpała. Dzik wydał z siebie ryk tak głośny, że zatrzęsło się od niego całe miasto.

I tak w Glengavin pozostały już tylko cztery Wielkie Bestie.

19

ŻELAZNY DZIK

MacDonnell chętnie udzieliłby dalszej gościny drużynie Zielonych Płaszczy, jednak Finn się upierał, że zależy im na czasie. Mimo protestów Rollana, któremu marzyło się przespać choćby jeszcze jedną noc we wspaniałym łożu, wyruszyli jeszcze tego samego ranka. Trunswick ominęli oczywiście szerokim łukiem, co zresztą skróciło im o parę dni drogę do wieży lady Evelyn. Zastali tam nieco zawstydzonego Tarika, którego stan znacznie się poprawił. Wojownik wyglądał na zmęczonego, ale czuł się na tyle dobrze, że mógł pokonać stosunkowo krótki dystans do zamku Zielonej Przystani.

Finn nie wracał z towarzyszami. Po cichej, poważnej rozmowie ze zwiadowcą Tarik oznajmił pozostałym, że poprosi Olvana, żeby dał Finnowi pozwolenie na pobyt w Glengavin, gdzie ten miał pełnić funkcję emisariusza Zielonych Płaszczy na północy. Był przecież z dawna oczekiwanym bohaterem. Finn musiał jeszcze przekonać członków drużyny, że w drodze powrotnej poradzą sobie bez niego. Wprawdzie Tarik nie odzyskał dotąd pełni sił, jednak z relacji Rollana o przebiegu bitwy jasno wynikało, że Czworo Poległych oraz ich młodzi partnerzy wiele się nauczyli w trakcie tej wyprawy, więc nawet jeśli napotkaliby jakieś niebezpieczeństwo, z pewnością dadzą sobie radę sami.

Mimo to wszyscy byli zadowoleni, że od głównej kwatery Zielonych Płaszczy dzieliły ich już tylko dwa dni wędrówki. Wkrótce mieli się znaleźć z powrotem w Zielonej Przystani, żeby w spokoju cieszyć się zasłużonym odpoczynkiem.

Udało im się wykonać zadanie. Drugi talizman znajdował się w rękach Zielonych Płaszczy.

※ ※ ※

Conor stał tej nocy na warcie i podziwiał gwiazdy na bezkresnym niebie nad aurańskimi łąkami. Chciał nasycić się tym widokiem, bo nie wiedział, kiedy będzie mógł go znów oglądać.

Osłabił czujność tylko na chwilę.

Właśnie wtedy z ciemności wyłoniła się zakapturzona postać. Conor zerwał się na równe nogi, gotów zaalarmować towarzyszy śpiących nieopodal. Już sięgał po broń, gdy rozległ się znajomy głos:

– Conor, to ja.

To był Dawson. Conor wpatrywał się z zaskoczeniem w młodszego brata Devina Trunswicka.

– Czego tu szukasz? Jesteś sam? – zapytał szeptem, ponieważ nie chciał budzić pozostałych.

Dawson zdjął kaptur, odsłaniając wysokie kości policzkowe i jasne oczy. Pokiwał głową.

– Mam dla ciebie list.

Conor był zdziwiony, że chłopiec pokonał długą drogę i wytropił ich tylko po to, żeby dostarczyć mu list.

– Wiesz, że nie umiem go odczytać – powiedział z zażenowaniem.

– Ja ci przeczytam – szepnął Dawson. Ze smutną miną wyjął spod płaszcza wytarty pergamin. – Tylko jedno... Przykro mi, Conor. To od mojego ojca.

Potem wziął głęboki oddech i zaczął czytać.

Conorze, synu Fenraya,

wiem, że nasze ostatnie spotkanie przebiegło w nieprzyjemnych okolicznościach i zapewne nie zechcesz słuchać tego, co mam ci do przekazania. Chciałbym jednak, byś słuchając, jak Dawson czyta ci ten list, wyobraził sobie swoją głodującą rodzinę. Potem powinieneś pomyśleć o rzeczach gorszych niż głód, o rzeczach, jakie mogą spotkać kobietę, która zdradziła swego lorda na rzecz wroga – nawet jeżeli tym wrogiem jest jej syn. Dobijmy targu. Oddaj Żelaznego Dzika Dawsonowi. Gdy tylko talizman znajdzie się w moich rękach, umorzę wasze długi, a twoja matka będzie mogła odejść wolno. Ziemia, na której gospodarzy twoja rodzina, stanie się jej własnością razem ze wszystkimi owcami. Zostaną wolnymi ludźmi i nie będą musieli mi dłużej służyć. Tak się stanie, jeżeli oddasz Daw-sonowi talizman. A jeżeli tego nie zrobisz? Wycisnę z nich każdego miedziaka, jakiego są mi winni, i bądź pewien, że tej zimy czeka ich głód. Los twojej matki zaś będzie jeszcze okrutniejszy.

Bez względu na to, jaką podejmiesz decyzję, nie otrzy-masz ode mnie więcej wiadomości. Devin wmieszał się w sprawy, których Trunswick nie może dłużej otwarcie popierać. Grozi nam katastrofa. Zerif powiedział, że je-śli Zdobywcy dostaną talizman, odzyskam rodzinę. Tobie zwrócę wówczas twoją.

Wybór należy do ciebie.

Earl Trunswicku

Dawson złożył list i schował go pod płaszczem. Wyglą-dał na wstrząśniętego tym, co przeczytał.

Conor przywołał w pamięci noc ucieczki z Trunswicku, kiedy spotkał swoją matkę. Przypomniał sobie jej wychu-dzoną twarz i poczuł, jak drżą mu ręce. Tak bardzo była z niego dumna! Powiedziała, żeby podążał za głosem serca!

Chłopiec spojrzał na pozostałych członków drużyny. Wszyscy spali głęboko, pewni, że z nim na straży są bez-pieczni. Zaufali mu i powierzyli skarb Rumfussa. Tylko że rodzina Conora również pokładała w nim nadzieję. Udał się na służbę do Trunswicku, bo tylko w ten sposób mógł ocalić najbliższych przed śmiercią głodową. Wziął na siebie ten obowiązek, mimo że tak bardzo nie cierpiał Devina.

Jaka decyzja była słuszna? Kiedy Zielone Płaszcze odniosą zwycięstwo, jego rodzina z pewnością odzyska wolność. Tylko że wtedy może być już za późno.

Conor cieszył się, że Briggan pozostawał w uśpieniu. Nie chciał, żeby wilk widział, jak podkrada się do swoich juków i wyjmuje z nich Żelaznego Dzika.

– Oczekuję, że twój ojciec dotrzyma słowa – szepnął, wręczając Dawsonowi talizman.

Ten pokiwał głową.

– Dopilnuję tego, Conor – obiecał.

Dawson schował Żelaznego Dzika pod płaszczem i zniknął w ciemności. Jego kroki obudziły konia Meilin, ona też nagle otworzyła oczy.

– Conor, czy ktoś tam jest? – zapytała.

Jej głos wyrwał ze snu również pozostałych członków drużyny.

Kiedy Conor ze wstydu nie mógł wydusić słowa, Meilin spojrzała na jego otwarte juki, a potem na punkt w oddali, w który nadal się wpatrywał.

– Przepraszam – powiedział Conor.

– Co się stało?

Conor zwiesił głowę.

– Przykro mi.

20

KONSEKWENCJE

Noc była mroczna i pełna odgłosów zwierząt. Meilin leżała w swoim łóżku z szeroko otwartymi oczami, a jej głowę wypełniały myśli o ogrodach Zhong, o mądrej twarzy ojca i o Zdobywcach maszerujących na ukochane przez nią miejsca.

W końcu dotarli do Zielonej Przystani. Od ich powrotu minęło kilka dni i przez cały ten czas Meilin nie zaznała spokoju. Ich wyprawa poszła na marne, bo Conor oddał cenny talizman wrogowi. W zamian za ratunek dla swojej rodziny. Przecież to Meilin chciała wracać do swojego ojca w Zhong przy pierwszej okazji... Conor był tym, który jako pierwszy poprosił ją, żeby została...

Gdzieś w korytarzu czyjś zwierzoduch wydawał z siebie senne pomruki. Meilin była daleka od tego, żeby zasnąć.

Od ich powrotu do twierdzy spływały wieści o zmianach zachodzących na całej Erdas. Ludzie musieli dokonać wyboru i opowiadali się albo za Zielonymi Płaszczami i Czworgiem Poległych, albo za Zdobywcami i fałszywymi bohaterami Zerifa. Nie milkły plotki o nadchodzącej armii Pożeracza i obietnicy, jaką ze sobą niosła – o eliksirze potężniejszym od Nektaru Ninani, o miksturze, która wymuszała utworzenie więzi ze zwierzoduchem u każdego, kto ją wypił, o Żółci.

Nie było czasu na kolejne nieudane misje.

– Jhi – szepnęła Meilin.

Panda przysypiała w kącie pokoju, ale na dźwięk swojego imienia podniosła głowę. Jej wzrok wyrażał współczucie.

– Pomóż mi.

Gdy tym razem Meilin zamknęła oczy, unoszące się wokół niej sfery przypominały lśniące, delikatne krople wody spływające po jej policzkach. Miała przed sobą dwie możliwości: zostać albo odejść.

Jedna z nich była zarazem rozsądna i logiczna.

Zostać. Walczyć wraz z Zielonymi Płaszczami. Stać się częścią armii, która stawi czoła nowemu zagrożeniu.

Odejść. Zostać jednoosobową armią. Odnaleźć ojca, zanim nie będzie za późno. Ten wybór nie był ani mądry, ani logiczny. Jhi intuicyjnie jej go odradzała.

Meilin podjęła decyzję.

Wstała z łóżka i spakowała się cicho i sprawnie. Panda się zawahała, gdy Meilin wyciągnęła ku niej rękę. Być może czuła się urażona, że dziewczyna nie przyjęła jej rady. A może po prostu się martwiła. Nigdy wcześniej nie odmówiła przejścia w stan uśpienia. Meilin ściągnęła brwi i skupiła się na niemej prośbie. Jhi westchnęła cicho i znikła w oślepiającym błysku, żeby pojawić się na skórze dziewczyny jako tatuaż, ledwo widoczny w ciemności.

Meilin zatrzymała się tylko po to, żeby zabrać mapę i torbę z jedzeniem z kuchni. Potem wyszła z zamku.

Wracała do Zhong.